# Cuisine minceur & équilibre

# 30 minutes chrono

## Cuisine minceur & équilibre

Plus de 150 recettes pour manger sainement

MARABOUT

# sommaire

Ce livre cherche à démontrer qu'une cuisine et une alimentation saines n'exigent pas forcément beaucoup de temps ni d'efforts : le plaisir de préparer un plat puis de le savourer font partie du processus. Il est tout à fait possible de dresser un menu hebdomadaire, composé de repas simples mais délicieux, qui propose un vaste éventail d'aliments non préparés et à faible teneur en matières grasses, puis de passer à table sans s'être épuisé devant son fourneau.

Nous menons presque toutes et tous des vies de citadines et de citadins si bien remplies que prendre un bon petit déjeuner à la maison ou préparer le dîner après le travail ne figure pas forcément sur notre liste de priorités. En fait, une alimentation saine devrait se situer tout près du haut de cette liste : un régime alimentaire adéquat, associé à des exercices physiques réguliers, permet de maintenir son poids à un niveau acceptable, de contrôler ses taux de cholestérol et sa tension artérielle, enfin de réduire les risques de maladies cardiovasculaires et de diabète de type 2. Et, bien sûr, elle apporte aussi l'énergie nécessaire pour s'accommoder d'un mode de vie stressant.

Tout le monde admet aujourd'hui qu'un petit déjeuner bien équilibré est une habitude essentielle pour vivre longtemps et en bonne santé. Après un jeûne de huit heures ou plus, l'organisme et le cerveau ont besoin d'énergie pour se remettre en marche. En général, les personnes qui sautent le petit déjeuner ont des niveaux nutritionnels inférieurs à la moyenne et tendent à être sujettes aux maladies courantes. Or, selon les scientifiques, les adeptes du petit déjeuner absorbent moins de graisses par jour, mais plus de fibres, et nettement plus de vitamines et de substances minérales. Faire une croix sur le petit déjeuner entraîne souvent dans la matinée ou à midi une fringale assouvie par une restauration rapide, très sucrée et très grasse. Selon les nutritionnistes, les personnes qui mangent un petit déjeuner équilibré se concentrent mieux et sont plus efficaces dans leur travail que celles qui s'en privent.

Mais qui a le temps de programmer et de préparer des repas équilibrés ? Nous avons le plaisir de vous annoncer qu'avec un peu de réflexion et au bout de quelques essais, vous découvrirez que cela ne prend pas des heures et qu'il est facile de manger un petit déjeuner équilibré ou de mijoter un repas bon pour la santé après le travail. En fait, il est souvent plus rapide de cuisiner chez soi que d'acheter des aliments industriels, plus ou moins préparés, qui réclament tout de même certaines manipulations et un temps de cuisson avant d'être prêts à consommer.

Le choix des aliments qui entrent dans la composition d'un repas équilibré et pas trop long à préparer est varié et la plupart sont naturels, simples et, pour l'essentiel, sans produits chimiques. Il est important de diversifier le plus possible son alimentation, en pensant à inclure de nombreux produits aux céréales complètes, du pain, des légumes et des fruits. En ce qui concerne les deux derniers, pensez à manger quelque chose de chaque couleur au dîner ou au déjeuner pour consommer plus facilement les cinq à neuf portions quotidiennes recommandées. Si vous choisissez des couleurs différentes – légumes-feuilles vert foncé, oignons bruns ou rouges, tomates cerises ou poires, myrtilles, betteraves, papayes, jus d'orange et autres – vous aurez une alimentation saine sans même y penser.

La préparation d'un repas après le travail, quand vous êtes fatigué ou pressé, ne doit pas devenir un défi insurmontable. Vous avez envie d'un dîner sain et savoureux, mais vous avez aussi envie qu'il soit rapide et facile. Dans ce livre de recettes, vous trouverez des solutions gérables et saines, même si vous avez très peu de temps, et qui feront le bonheur de toute la famille. Nous sommes certains que vous ne cesserez de vous plonger dans cet ouvrage quand vous préparerez votre liste de courses ou programmerez des repas aussi délicieux que bénéfiques.

# petit déjeuner
# + brunch

# Porridge aux poires pochées et aux myrtilles

180 ml d'eau chaude
30 g de flocons d'avoine
1 petite poire (180 g), évidée et grossièrement hachée
125 ml d'eau froide
2 c. à s. de myrtilles

**1** Versez les flocons d'avoine dans l'eau chaude et laissez-les gonfler 5 minutes. Le porridge doit prendre une consistance crémeuse.
**2** Mettez la poire dans une petite casserole, versez l'eau froide et portez à ébullition. Réduisez le feu et laissez mijoter 5 minutes sans couvrir : la poire doit être tendre.
**3** Garnissez le porridge de la poire chaude et de myrtilles, nappez d'un peu de liquide de cuisson de la poire puis dégustez sans attendre.

**à table** en 20 minutes
**pour** 1 personne **par portion** 2,7 g de lipides (dont 0,5 g d'acides gras saturés) ; 211 cal ; 43,4 g de glucides ; 3,9 g de protéines ; 6,6 g de fibres

# Gâteaux de ricotta aux tomates

2 c. à s. d'huile d'olive
1 c. à s. de pignons de pin
2 gousses d'ail pilées
100 g de feuilles de petits épinards
250 g de ricotta allégée
1 œuf légèrement battu
2 c. à s. d'oignons verts ciselés
500 g de tomates en grappes mûres
1 c. à s. de vinaigre balsamique

**1** Préchauffez le four à 220 °C ou à 200 °C pour un four à chaleur tournante. Huilez 4 alvéoles d'une plaque pour 6 muffins.
**2** Faites chauffer la moitié de l'huile dans une poêle de taille moyenne ; faites revenir les pignons et l'ail jusqu'à ce qu'ils embaument. Ajoutez les épinards, mélangez et arrêtez la cuisson quand les feuilles commencent à flétrir. Laissez refroidir 10 minutes.
**3** Mélangez ensuite la préparation aux épinards dans un bol moyen avec le fromage, l'œuf et l'oignon vert ; versez-la dans les moules graissés. Faites dorer au four environ 15 minutes.
**4** Disposez les tomates dans un petit plat à gratin, arrosez-les de vinaigre et de l'huile restante puis faites-les rôtir 10 minutes à découvert.
**5** Proposez les tomates en accompagnement.

**à table** en 35 minutes
**pour** 4 personnes **par portion** 11,8 g de lipides (dont 4,4 g d'acides gras saturés) ; 170 cal ; 4,2 g de glucides ; 10,6 g de protéines ; 2,7 g de fibres

# Pancakes à la fraise et sauce aux myrtilles

1 œuf, blanc et jaune séparés
2 blancs d'œufs
125 g de compote de pommes
1 c. à c. d'extrait de vanille
560 g de yaourt maigre
280 g de farine complète aux céréales et à levure incorporée
250 g de fraises, équeutées et coupées en morceaux
**sauce aux myrtilles**
150 g de myrtilles écrasées
2 c. à s. de sucre en poudre
1 c. à s. d'eau

**1** Préparez la sauce aux myrtilles.
**2** À l'aide d'un mixeur électrique, montez les blancs en neige pas trop ferme. Mélangez le jaune d'œuf, la compote de pommes, l'extrait de vanille, le yaourt, la farine et les fraises dans un grand saladier, puis incorporez les blancs d'œufs.
**3** Versez 60 g de la pâte obtenue dans une grande poêle huilée et étalez-la à l'aide d'une spatule pour former un rond. Faites cuire à feu doux 2 minutes ; quand des bulles apparaissent, retournez la crêpe et faites-la dorer de l'autre côté. Ôtez-la de la poêle et recouvrez-la pour la garder au chaud. Répétez l'opération jusqu'à épuisement de la pâte.
**4** Servez les crêpes avec la sauce aux myrtilles
**sauce aux myrtilles** placez les ingrédients dans une petite casserole. Portez à ébullition sans cesser de remuer. Réduisez le feu et laissez mijoter 2 minutes. Retirez du feu et laissez refroidir 10 minutes. Mixez pour obtenir un mélange lisse.

**à table** en 35 minutes
**pour** 4 personnes **par portion** 2,6 g de lipides (dont 0,7 g d'acides gras saturés) ; 434 cal ; 78,9 g de glucides ; 19,9 g de protéines ; 5,1 g de fibres

# Toasts aux champignons

30 g de beurre
200 g de champignons bruns suisses grossièrement émincés
100 g de champignons shiitake frais, finement émincés
200 g de champignons de Paris coupés en deux
100 g de pleurotes
1 gousse d'ail pilée
60 ml de bouillon de bœuf
8 tranches de pain ciabatta (220 g)
1 poignée de persil plat ciselé
1 petit bouquet de ciboulette ciselée

**1** Préchauffez le gril.
**2** Faites fondre le beurre dans une grande poêle et laissez revenir les champignons et l'ail pendant 5 minutes, tout en remuant. Arrosez de bouillon, portez à ébullition puis réduisez le feu et laissez mijoter 10 minutes.
**3** Faites griller les tranches de pain des deux côtés et répartissez-les dans les assiettes.
**4** Incorporez les herbes aux champignons et servez cette préparation sur les toasts.

**à table** en 30 minutes
**pour** 4 personnes **par portion** 8,1 g de lipides (dont 4,3 g d'acides gras saturés) ; 231 cal ; 29,7 g de glucides ; 9,8 g de protéines ; 6,2 g de fibres

# Petit déjeuner pour toute la famille

2 grandes tomates olivettes (180 g), coupées en quartiers
4 œufs
4 tranches de pain complet aux céréales
60 g de jambon blanc
50 g de feuilles de petits épinards

**1** Préchauffez le four à 220 °C ou à 200 °C pour un four à chaleur tournante. Tapissez une lèchefrite de papier sulfurisé.
**2** Posez les tomates, la partie coupée vers le haut, sur une plaque de cuisson. Faites-les rôtir environ 25 minutes pour qu'elles ramollissent et dorent légèrement.
**3** Pendant ce temps, remplissez une grande sauteuse à moitié d'eau et portez-la à ébullition.
**4** Cassez les œufs un par un dans un petit bol, puis faites-les glisser dans la sauteuse. Portez de nouveau à ébullition. Couvrez, puis arrêtez le feu ; laissez reposer 4 minutes. Une légère pellicule de blanc doit recouvrir les jaunes.
**5** Faites légèrement griller les tranches de pain des deux côtés.
**6** À l'aide d'une spatule, retirez les œufs de la sauteuse, un à un ; déposez-les sur une assiette creuse chemisée de papier absorbant pour éliminer l'eau de cuisson. Servez les toasts garnis de jambon, d'épinards, d'un œuf puis de tomates.

**à table** en 35 minutes
**pour** 4 personnes **par portion** 6,7 g de lipides (dont 1,9 g d'acides gras saturés) ; 168 cal ; 13 g de glucides ; 12,8 g de protéines ; 2,2 g de fibres

# Compote d'agrumes

2 gros citrons verts (160 g)
3 grosses oranges (900 g)
2 pamplemousses roses moyens (850 g)
2 c. à s. de sucre en poudre
½ gousse de vanille fendue dans la longueur
1 c. à s. de petites feuilles de menthe fraîche

**1** Râpez finement le zeste de 1 citron vert et de 1 orange puis réservez le zeste. Pelez le citron et les oranges restants ainsi que les pamplemousses.
**2** Coupez tous les agrumes au-dessus d'un grand bol pour garder le jus, retirez et jetez la peau de chaque quartier. Versez les quartiers dans le bol avec le sucre, la vanille et le zeste râpé ; mélangez.
**3** Couvrez et laissez reposer 10 minutes à température ambiante ; décorez avec les feuilles de menthe.

**à table** en 30 minutes
**pour** 4 personnes **par portion** 0,5 g de lipides (dont 0 g d'acides gras saturés) ; 116 cal ; 22 g de glucides ; 3,2 g de protéines ; 4,6 g de fibres

# Jambon croustillant sur salade de mangue et d'avocat

1 mangue moyenne (430 g), coupée en gros morceaux
1 gros avocat (320 g), coupé en gros morceaux
1 petit oignon rouge (100 g), émincé
1 petit poivron rouge (150 g), coupé en dés
1 petit piment rouge thaï ciselé
2 c. à s. de jus de citron vert
8 tranches de jambon cru (120 g), coupées en deux dans la longueur

**1** Placez la mangue, l'avocat, l'oignon, le poivron, le piment et le jus de citron vert dans un bol moyen puis mélangez.
**2** Faites revenir le jambon dans une grande poêle huilée jusqu'à ce qu'il soit croustillant.
**3** Servez-le avec la salade.

**à table** en 25 minutes
**pour** 4 personnes **par portion** 14,7 g de lipides (dont 3,4 g d'acides gras saturés) ; 220 cal ; 12,7 g de glucides ; 8,2 g de protéines ; 2,7 g de fibres

# Petites céréales du matin

20 g d'All-Bran
20 g de Special K
20 g de blé soufflé
250 g de fraises équeutées
280 g de yaourt maigre à la vanille
80 ml de pulpe de fruits de la Passion

**1** Mélangez les céréales dans un petit saladier.
**2** Coupez 6 fraises en deux et réservez. Tranchez finement le reste des fraises.
**3** Répartissez la moitié du mélange aux céréales dans 4 bols de service de 250 ml, ainsi que la moitié du yaourt, des fruits de la Passion et toutes les tranches de fraises. Posez une nouvelle couche de céréales et de yaourt, recouvrez avec les moitiés de fraises et la pulpe restante des fruits de la Passion.

**à table** en 20 minutes
**pour** 4 personnes **par portion** 0,7 g de lipides (dont 0,1 g d'acides gras saturés) ; 130 cal ; 19 g de glucides ; 8,3 g de protéines ; 7,2 g de fibres
**note** il vous faudra environ 5 fruits de la Passion pour cette recette.

# Œufs pochés au lard, aux épinards et au pecorino

600 g d'épinards parés et ciselés
4 tranches de lard sans la couenne
4 œufs
40 g de lamelles de pecorino

**1** Faites cuire les épinards à l'eau bouillante, à la vapeur ou au micro-ondes ; quand les feuilles commencent à flétrir, arrêtez la cuisson et égouttez-les. Couvrez-les pour les garder au chaud.
**2** Faites dorer le lard dans une grande poêle jusqu'à ce qu'il soit croustillant. Posez-le sur du papier absorbant et recouvrez-le pour le garder au chaud.
**3** Remplissez la même poêle à moitié d'eau et portez-la à ébullition. Cassez les œufs un à un dans un petit bol et faites-les glisser dans la poêle. Une fois qu'ils sont tous dans la poêle, portez de nouveau à ébullition. Couvrez, puis arrêtez le feu ; laissez reposer 4 minutes. Une légère pellicule de blanc doit recouvrir les jaunes. À l'aide d'une spatule, retirez les œufs de la poêle un à un ; déposez-les sur une assiette creuse tapissée de papier absorbant pour éliminer l'eau de cuisson.
**4** Répartissez les épinards sur les assiettes de service ; recouvrez chaque portion d'une tranche de lard, d'un œuf puis de fromage.

**à table** en 15 minutes
**pour** 4 personnes **par portion** 10,5 g de lipides (dont 4,1 g d'acides gras saturés) ; 190 cal ; 1,2 g de glucides ; 20,9 g de protéines ; 4,1 g de fibres

# Muesli non grillé

180 g de flocons d'avoine
35 g d'All-Bran
1 c. à s. de graines de tournesol
55 g de raisins secs
35 g d'abricots secs coupés en petits dés
80 g de dattes sèches coupées en petits dés
750 ml de lait écrémé
140 g de yaourt maigre

**1** Mélangez l'avoine, l'All-Bran, les graines de tournesol et les fruits secs dans un grand bol.
**2** Répartissez le muesli et le lait entre les bols. Nappez de yaourt.

**à table** en 10 minutes
**pour** 6 personnes **par portion** 4,8 g de lipides (dont 0,8 g d'acides gras saturés) ; 288 cal ; 45,4 g de glucides ; 11,7 g de protéines ; 7,3 g de fibres
**conseil** vous pouvez utiliser du jus de fruits, de pomme par exemple, si vous le souhaitez.

# Tartines au saumon fumé, au fromage frais et à la roquette

80 g de fromage frais allégé
1 échalote (25 g), finement émincée
2 c. à c. de jus de citron
½ c. à c. de moutarde de Dijon
1 c. à s. de câpres égouttées, rincées et grossièrement hachées
8 tranches de pain au levain (675 g)
30 g de roquette
200 g de saumon fumé en tranches

**1** Préchauffez le gril.
**2** Mélangez le fromage frais, l'échalote, le jus de citron, la moutarde et les câpres dans un bol.
**3** Faites dorer les tranches de pain au four sur les deux faces puis tartinez-les de la préparation au fromage. Répartissez-les dans les assiettes et garnissez de roquette et de saumon.

**à table** en 20 minutes
**pour** 4 personnes **par portion** 10,1 g de lipides (dont 3,3 g d'acides gras saturés) ; 515 cal ; 77,1 g de glucides ; 28 g de protéines ; 8 g de fibres

# Œufs brouillés à l'aneth et au saumon fumé

7 œufs
125 ml de lait écrémé
1 c. à s. d'aneth frais ciselé
10 g de beurre
300 g de saumon fumé en tranches fines

**1** Fouettez les œufs dans un bol moyen, puis ajoutez le lait et l'aneth et continuez à battre pour bien mélanger.
**2** Faites fondre le beurre dans une poêle moyenne ; faites cuire le mélange aux œufs à feu doux, en remuant doucement.
**3** Servez les œufs brouillés avec le saumon.

**à table** en 15 minutes
**pour** 4 personnes **par portion** 14,7 g de lipides (dont 4,9 g d'acides gras saturés) ; 260 cal ; 1,9 g de glucides ; 30,1 g de protéines ; 0 g de fibres

# Toasts à la fraise, à la banane et à la ricotta

8 tranches de pain ciabatta (220 g)
200 g de ricotta allégée
2 c. à s. de miel
1 c. à c. de zeste d'orange finement râpé
¼ de c. à c. de cannelle moulue
125 g de fraises en tranches fines
1 petite banane (130 g) en tranches fines
2 c. à s. de sucre roux

**1** Préchauffez le gril.
**2** Dans un petit saladier, mélangez la ricotta, le miel, le zeste d'orange et la cannelle au batteur électrique jusqu'à l'obtention d'un mélange homogène.
**3** Mettez les tranches de fraises et de banane avec le sucre dans une petite poêle ; laissez chauffer à feu doux jusqu'à dissolution du sucre.
**4** Pendant ce temps, faites griller le pain sur les deux faces. Garnissez les toasts de mélange à la ricotta, répartissez-les dans les assiettes et décorez de tranches de fraises et de banane au sucre.

**à table** en 25 minutes
**pour** 4 personnes **par portion** 5,8 g de lipides (dont 3 g d'acides gras saturés) ; 289 cal ; 49 g de glucides ; 10,8 g de protéines ; 2,8 g de fibres

# Omelettes aux blancs d'œufs

150 g de jambon allégé
200 g de champignons de Paris émincés
12 blancs d'œufs
30 g de ciboulette ciselée
2 tomates moyennes (380 g), coupées en gros morceaux
45 g de cheddar allégé râpé
8 tranches de pain complet

**1** Enlevez le gras du jambon et coupez-le en fines lamelles. Faites-le revenir dans une grande poêle chaude en remuant pour le faire légèrement dorer. Retirez-le de la poêle. Faites cuire les champignons dans la même poêle en remuant pour qu'ils prennent de la couleur.
**2** À l'aide d'un batteur électrique, montez 3 des blancs d'œufs en neige dans un petit bol ; incorporez un quart de la ciboulette. Préchauffez le gril.
**3** Déposez le mélange aux blancs d'œufs dans une poêle huilée et chaude ; faites cuire à découvert, à feu doux, jusqu'à ce que la face inférieure soit dorée. Placez la poêle sous le gril et faites cuire jusqu'à ce que le dessus soit juste pris. Déposez un quart des tomates sur une moitié de l'omelette ; remettez-la sous le gril et faites-la griller pour que les tomates soient chaudes et dorées. Garnissez la moitié couverte de tomates d'un quart du fromage, du jambon et des champignons et rabattez l'autre moitié. Transférez l'omelette sur un plat de service puis couvrez-la pour la garder au chaud.
**4** Recommencez trois fois l'étape 2 avec le reste des blancs d'œufs, de la ciboulette et de la garniture.
**5** Faites griller le pain et servez-le avec les omelettes.

**à table** en 25 minutes
**pour** 4 personnes **par portion** 4 g de lipides (dont 1,2 g d'acides gras saturés) ; 247 cal ; 23,5 g de glucides ; 25,8 g de protéines ; 6 g de fibres

# Toasts aux œufs et à la pancetta

8 tranches de pancetta (120 g)
2 oignons verts grossièrement hachés
4 œufs
4 tranches de pain blanc

**1** Préchauffez le four à 200 °C ou à 180 °C pour un four à chaleur tournante. Graissez 4 alvéoles d'un moule à muffins.
**2** Tapissez chaque alvéole de 2 tranches de pancetta en les faisant se chevaucher. Ajoutez les oignons. Cassez un œuf dans chaque alvéole.
**3** Faites cuire au four 10 minutes environ jusqu'à ce que les œufs soient juste cuits et les bords de la pancetta croustillants. Démoulez.
**4** Faites griller les tranches de pain. Servez les œufs à la pancetta sur les toasts.

**à table** en 20 minutes
**pour** 4 personnes **par portion** 10,1 g de lipides (dont 3,3 g d'acides gras saturés) ; 204 cal ; 13,1 g de glucides ; 14,9 g de protéines ; 0,9 g de fibres

# jus de fruits et de légumes

# Pêche, pomme et fraise

1 pomme moyenne (150 g), coupée en quartiers
1 pêche moyenne (150 g), coupée en quartiers
2 fraises (40 g)

**1** Passez tous les fruits à la centrifugeuse et servez le jus obtenu dans un verre.

**à table** en 5 minutes
**pour** 1 personne **par portion** 0,3 g de lipides (dont 0 g d'acides gras saturés) ; 108 cal ; 24,3 g de glucides ; 2,2 g de protéines ; 5,1 g de fibres
**conseil** nous avons utilisé une pomme verte pour cette recette, mais vous pouvez la remplacer par une autre variété de votre choix.

# Jus de fruits rouges

3 fraises (60 g)
40 g de myrtilles
35 g de framboises
80 ml d'eau

**1** Dans un blender, mixez tous les ingrédients ; servez dans un verre.

**à table** en 5 minutes
**pour** 1 personne **par portion** 0,2 g de lipides (dont 0 g d'acides gras saturés) ; 50 cal ; 8,2 g de glucides ; 1,7 g de protéines ; 3,9 g de fibres
**conseil** pour un rafraîchissement façon granité, congelez le jus jusqu'à obtention d'une texture granuleuse.

# Pamplemousse et orange sanguine

2 petites oranges sanguines (360 g)
1 petit pamplemousse (350 g)

**1** Pressez les oranges et le pamplemousse à l'aide d'un presse-agrumes ; servez dans un verre.

**à table** en 5 minutes
**pour** 1 personne **par portion** 0,7 g de lipides (dont 0 g d'acides gras saturés) ; 156 cal ; 31,2 g de glucides ; 4,6 g de protéines ; 6,5 g de fibres

# Betterave, cresson et céleri

1 branche de céleri (100 g), parée et grossièrement hachée
3 petites betteraves (75 g), coupées en quartiers
50 g de cresson paré
125 ml d'eau

**1** Passez le céleri, les betteraves et le cresson à la centrifugeuse ; versez dans un verre.
**2** Ajoutez l'eau.

**à table** en 5 minutes
**pour** 1 personne **par portion** 0,4 g de lipides (dont 0 g d'acides gras saturés) ; 53 cal ; 8,9 g de glucides ; 3,5 g de protéines ; 6 g de fibres

# Pastèque et menthe

450 g de pastèque
3 feuilles de menthe fraîche

**1** Mixez la pastèque et les feuilles de menthe dans un blender ; servez dans un verre.

**à table** en 5 minutes
**pour** 1 personne **par portion** 0,6 g de lipides (dont 0 g d'acides gras saturés) ; 67 cal ; 14,5 g de glucides ; 0,9 g de protéines ; 1,9 g de fibres

# Carotte, gingembre et bette

2 carottes moyennes (240 g), en rondelles
240 g de bettes sans les tiges
10 g (2 cm) de gingembre

**1** Passez tous les ingrédients dans une centrifugeuse ; servez dans un verre.

**à table** en 5 minutes
**pour** 1 personne **par portion** 0,7 g de lipides (dont 0 g d'acides gras saturés) ; 87 cal ; 14,5 g de glucides ; 5,4 g de protéines ; 13,1 g de fibres

# Betterave, carotte et épinards

1 petite betterave (100 g), coupée en quartiers
1 petite carotte (70 g), coupée en rondelles
20 g de pousses d'épinards
125 ml d'eau

**1** Passez la betterave, la carotte et les pousses d'épinards dans une centrifugeuse.
**2** Ajoutez l'eau.

**à table** en 5 minutes
**pour** 1 personne **par portion** 0,2 g de lipides (dont 0 g d'acides gras saturés) ; 57 cal ; 11,2 g de glucides ; 2,7 g de protéines ; 5,3 g de fibres

# Ananas, gingembre et menthe

½ ananas (400 g), coupé en morceaux
1 poignée de feuilles de menthe fraîche
5 g (1 cm) de gingembre frais

**1** Passez tous les ingrédients dans une centrifugeuse ; versez dans un verre.

**à table** en 5 minutes
**pour** 1 personne **par portion** 0,8 g de lipides (dont 0,1 g d'acides gras saturés) ; 100 cal ; 19,1 g de glucides ; 3,7 g de protéines ; 8,1 g de fibres

# Pomme et poire

1 pomme moyenne (150 g), coupée en quartiers
1 poire moyenne (230 g), coupée en quartiers

**1** Passez tous les ingrédients dans une centrifugeuse ; versez dans un verre.

**à table** en 5 minutes
**pour** 1 personne **par portion** 0,4 g de lipides (dont 0 g d'acides gras saturés) ; 204 cal ; 51,3 g de glucides ; 1,1 g de protéines ; 9 g de fibres
**conseil** nous avons utilisé une pomme verte pour cette recette, mais vous pouvez la remplacer par une autre variété de votre choix.

# Orange, carotte et céleri

1 grosse orange (300 g), pelée et détaillée en quartiers
1 grosse carotte (180 g), coupée en rondelles
1 branche de céleri (100 g), parée et grossièrement hachée

**1** Passez tous les ingrédients dans une centrifugeuse ; versez dans un verre.

**à table** en 5 minutes
**pour** 1 personne **par portion** 0,5 g de lipides (dont 0 g d'acides gras saturés) ; 137 cal ; 28,6 g de glucides ; 4,2 g de protéines ; 11,3 g de fibres

# Mangue et pamplemousse

1 petit pamplemousse (350 g)
1 petite mangue (300 g), coupée en morceaux
60 ml d'eau

**1** Pressez le pamplemousse à l'aide d'un presse-agrumes ; versez-le dans un verre.
**2** Dans un blender, mixez la mangue avec l'eau. Ajoutez-la dans le verre puis mélangez.

**à table** en 5 minutes
**pour** 1 personne **par portion** 0,9 g de lipides (dont 0 g d'acides gras saturés) ; 181 cal ; 37,8 g de glucides ; 4,2 g de protéines ; 4,6 g de fibres

# Mandarine

3 petites mandarines (300 g)

**1** Pressez les mandarines à l'aide d'un presse-agrumes ; versez dans un verre.

**à table** en 5 minutes
**pour** 1 personne **par portion** 0,4 g de lipides (dont 0 g d'acides gras saturés) ; 82 cal ; 17 g de glucides ; 1,9 g de protéines ; 4,3 g de fibres

# Poire et raisin

1 poire moyenne (230 g), coupée en quartiers
175 g de raisin rouge sans pépins

**1** Passez les ingrédients dans une centrifugeuse ; versez dans un verre.

**à table** en 5 minutes
**pour** 1 personne **par portion** 0,4 g de lipides (dont 0 g d'acides gras saturés) ; 228 cal ; 55,6 g de glucides ; 2,8 g de protéines ; 7,3 g de fibres

# Ananas, orange et fraise

1 petite orange (180 g), pelée et détaillée en quartiers
150 g d'ananas coupé en morceaux
2 fraises (40 g)
60 ml d'eau

**1** Passez l'orange, l'ananas et les fraises dans une centrifugeuse ; allongez avec l'eau.

**à table** en 5 minutes
**pour** 1 personne **par portion** 0,3 g de lipides (dont 0 g d'acides gras saturés) ; 112 cal ; 23,2 g de glucides ; 3,5 g de protéines ; 6,6 g de fibres

# Gingembre, orange et ananas

1 orange moyenne (240 g)
¼ d'ananas (200 g), coupé en morceaux
10 g (2 cm) de gingembre frais

**1** Pressez l'orange à l'aide d'un presse-agrumes ; versez dans un verre.
**2** Dans un blender, mixez l'ananas et le gingembre. Mélangez au jus d'orange.

**à table** en 5 minutes
**pour** 1 personne **par portion** 0,3 g de lipides (dont 0 g d'acides gras saturés) ; 105 cal ; 22,2 g de glucides ; 2,8 g de protéines ; 5,9 g de fibres

# Poire et gingembre

2 poires moyennes (460 g), coupées en quartiers
10 g (2 cm) de gingembre frais

**1** Passez les poires et le gingembre dans une centrifugeuse ; servez dans un verre.

**à table** en 5 minutes
**pour** 1 personne **par portion** 0,5 g de lipides (dont 0 g d'acides gras saturés) ; 211 cal ; 52,6 g de glucides ; 1,3 g de protéines ; 9,8 g de fibres

# Framboise et pêche

1 grosse pêche (220 g), coupée en morceaux
35 g de framboises
125 ml d'eau

**1** Dans un blender, mixez la pêche et les framboises ; versez dans un verre.
**2** Ajoutez l'eau puis mélangez.

**à table** en 5 minutes
**pour** 1 personne **par portion** 0,3 g de lipides (dont 0 g d'acides gras saturés) ; 72 cal ; 14,1 g de glucides ; 2,1 g de protéines ; 4,5 g de fibres

# Bette, pomme et céleri

80 g de feuilles de bettes hachées
1 pomme (200 g), coupée en quartiers
1 branche de céleri (100 g), parée et grossièrement hachée

**1** Passez les ingrédients dans une centrifugeuse ; servez dans un verre.

**à table** en 5 minutes
**pour** 1 personne **par portion** 0,5 g de lipides (dont 0 g d'acides gras saturés) ; 110 cal ; 24,6 g de glucides ; 2,4 g de protéines ; 7,8 g de fibres
**conseil** nous avons utilisé une pomme verte pour cette recette, mais vous pouvez la remplacer par une autre variété si vous le souhaitez.

# Fraise et papaye

4 fraises (80 g)
80 g de papaye
125 ml d'eau

**1** Mixez tous les ingrédients dans un blender ; servez dans un verre.

**à table** en 5 minutes
**pour** 1 personne **par portion** 0,2 g de lipides (dont 0 g d'acides gras saturés) ; 39 cal ; 7,7 g de glucides ; 1,7 g de protéines ; 3,6 g de fibres
**conseil** vous pouvez congeler ce jus pour préparer un granité.

# Pomme et céleri

2 petites pommes (260 g), coupées en quartiers
1 branche de céleri (100 g), grossièrement hachée

**1** Passez les pommes et le céleri dans une centrifugeuse ; servez dans un verre.

**à table** en 5 minutes
**pour** 1 personne **par portion** 0,4 g de lipides (dont 0 g d'acides gras saturés) ; 143 cal ; 34,7 g de glucides ; 1,4 g de protéines ; 7 g de fibres
**conseil** nous avons utilisé des pommes vertes pour cette recette, mais vous pouvez les remplacer par une autre variété de votre choix.

# Orange, mangue et fraise

2 petites oranges (360 g)
1 petite mangue (300 g), coupée en morceaux
3 fraises (60 g), coupées en morceaux

**1** Pressez les oranges à l'aide d'un presse-agrumes ; versez dans un verre.
**2** Dans un blender, mixez la mangue et les fraises. Mélangez au jus d'orange.

**à table** en 5 minutes
**pour** 1 personne **par portion** 0,7 g de lipides (dont 0 g d'acides gras saturés) ; 227 cal ; 48,7 g de glucides ; 5,7 g de protéines ; 9,6 g de fibres

# Kiwi et raisin blanc

3 kiwis (255 g), épluchés et coupés en quartiers
70 g de raisin blanc
60 ml d'eau

**1** Dans un blender, mixez les kiwis, le raisin et l'eau ; servez dans un verre.

**à table** en 5 minutes
**pour** 1 personne **par portion** 0,5 g de lipides (dont 0 g d'acides gras saturés) ; 149 cal ; 31,8 g de glucides ; 3,5 g de protéines ; 7,8 g de fibres

# Smoothie banane soja

250 ml de lait de soja
1 petite banane (130 g), coupée en morceaux

**1** Mixez le lait de soja et la banane dans un blender ; servez dans un verre.

**à table** en 5 minutes
**pour** 1 personne **par portion** 2,1 g de lipides (dont 0,2 g d'acides gras saturés) ; 61 cal ; 8,2 g de glucides ; 8,2 g de protéines ; 0,9 g de fibres

# Smoothie framboise miel soja

120 g de framboises
125 ml de lait de soja
1 c. à c. de miel

**1** Mixez les ingrédients dans un blender ; servez dans un verre.

**à table** en 5 minutes
**pour** 1 personne **par portion** 3,6 g de lipides (dont 0,4 g d'acides gras saturés) ; 113 cal ; 14,4 g de glucides ; 6,2 g de protéines ; 3,2 g de fibres

# Orange, carotte et gingembre

2 oranges moyennes (480 g), pelées et détaillées en quartiers
1 petite carotte (70 g), coupée en rondelles
10 g (2 cm) de gingembre frais

**1** Passez les oranges, la carotte et le gingembre dans une centrifugeuse ; servez dans un verre.

**à table** en 5 minutes
**pour** 1 personne **par portion** 0,4 g de lipides (dont 0 g d'acides gras saturés) ; 145 cal ; 30,6 g de glucides ; 4 g de protéines ; 8,8 g de fibres

StGeorge

# soupes

# Soupe de légumes au maïs

2 litres de bouillon de légumes
4 épis de maïs (1 kg)
200 g de chou-fleur en petits bouquets
2 petites carottes (140 g), coupées en petits dés
120 g de pois gourmands en petits tronçons
4 oignons verts en fines rondelles

**1** Portez le bouillon à ébullition dans une petite cocotte. Détachez les grains de maïs de l'épi et mettez-les dans le bouillon avec le chou-fleur et les carottes. Quand le mélange recommence à bouillir, réduisez le feu, couvrez et laissez mijoter 10 minutes.
**2** Incorporez les pois gourmands et les oignons. Laissez frémir 2 minutes sans couvrir. C'est prêt.

**à table** en 30 minutes
**pour** 4 personnes **par portion** 4,4 g de lipides (dont 1,2 g d'acides gras saturés) ; 278 cal ; 38,1 g de glucides ; 15,6 g de protéines ; 10,8 g de fibres

# Pho au poulet

Pour cette recette, il vous faudra acheter un gros poulet grillé d'environ 900 g. Une fois désossé, il doit vous rester environ 480 g.

1,5 litre de bouillon de poulet
10 g (2 cm) de gingembre finement râpé
1 gousse d'ail pilée
60 ml de nuoc-mâm
20 g (10 cm) de citronnelle fraîche émincée
1 c. à c. de sambal oelek
4 oignons verts émincés
100 g de nouilles sèches au riz
480 g de poulet cuit émincé
80 g de germes de soja
1 poignée de feuilles de menthe fraîche
2 c. à s. de coriandre ciselée

**1** Mélangez le bouillon, le gingembre, l'ail, le nuoc-mâm et la citronnelle dans une grande casserole et portez à ébullition. Réduisez le feu, couvrez et laissez mijoter 8 minutes. Retirez du feu et ajoutez le sambal oelek et les oignons.
**2** Placez les nouilles dans un bol moyen résistant à la chaleur. Recouvrez-les d'eau bouillante. Laissez reposer pour qu'elles ramollissent, puis égouttez-les.
**3** Répartissez les nouilles entre les bols de service et recouvrez-les de poulet. Versez la soupe sur le poulet, parsemez de soja, de menthe et de coriandre.

**à table** en 30 minutes
**pour** 4 personnes **par portion** 9 g de lipides (dont 2,8 g d'acides gras saturés) ; 288 cal ; 18,4 g de glucides ; 32,4 g de protéines ; 2,1 g de fibres

# Velouté de poireau et de pomme de terre

1 c. à s. d'huile d'olive
2 gousses d'ail pilées
2 c. à c. de feuilles de thym frais
4 petits poireaux (800 g), en rondelles
4 pommes de terre (800 g), coupées en morceaux
2 litres de bouillon de légumes
2 oignons verts coupés en fines rondelles

**1** Faites chauffer l'huile dans une cocotte pour y faire revenir le poireau, l'ail et le thym pendant 3 minutes en remuant sans cesse. Versez ensuite le bouillon et ajoutez les pommes de terre. Portez à ébullition puis laissez frémir 15 minutes.
**2** Quand les pommes de terre sont cuites, mixez la soupe pour obtenir un velouté.
**3** Réchauffez-la rapidement. Décorez d'oignon vert au moment de servir.

**à table** en 35 minutes
**pour** 4 personnes **par portion** 7,3 g de lipides (dont 1,7 g d'acides gras saturés) ; 253 cal ; 30,9 g de glucides ; 12,3 g de protéines ; 6,6 g de fibres

# Soupe au curry poulet et courgettes

1 c. à s. de margarine végétale allégée
1 oignon brun moyen (150 g), ciselé
1 gousse d'ail pilée
1 c. à c. de curry en poudre
100 g de riz doongara
340 g de blancs de poulet émincés
500 ml d'eau
1 litre de bouillon de poulet
4 courgettes moyennes (480 g), râpées

**1** Faites fondre la margarine dans une grande casserole puis faites ramollir l'oignon avec l'ail en remuant. Saupoudrez de curry et remuez pour exalter les saveurs.
**2** Ajoutez le riz puis le poulet puis faites-les revenir 2 minutes en remuant. Versez l'eau et le bouillon et portez-les à ébullition. Réduisez le feu et laissez mijoter 10 minutes à couvert. Incorporez les courgettes râpées et poursuivez la cuisson 5 minutes en remuant pour que le poulet soit bien cuit.

**à table** en 35 minutes
**pour** 4 personnes **par portion** 5,4 g de lipides (dont 1,4 g d'acides gras saturés) ; 260 cal ; 25,6 g de glucides ; 25,7 g de protéines ; 2,7 g de fibres
**note** le riz doongara a un index glycémique plus faible que la plupart des autres riz, mais il peut être remplacé par du riz basmati.

# Pho aux boulettes de viande

400 g de bœuf maigre haché
40 g de citronnelle (2 tiges de 10 cm), coupée en petits tronçons
2 oignons verts ciselés
1 gousse d'ail pilée
1 blanc d'œuf
1,5 litre de bouillon de bœuf
2 anis étoilés
1 bâton de cannelle
185 g de pâtes de riz
80 g de germes de soja
150 g de feuilles de coriandre fraîche
2 longs piments rouges frais, émincés
4 oignons verts émincés

**1** À la main, mélangez le bœuf, la citronnelle, les oignons émincés, l'ail et le blanc d'œuf dans un bol moyen ; prélevez des cuillerées de la préparation et façonnez des boulettes.
**2** Pendant ce temps, portez à ébullition le bouillon, l'anis et la cannelle dans une grande casserole. Réduisez le feu et laissez frémir 5 minutes à découvert. Versez-y les boulettes puis faites reprendre l'ébullition. Réduisez le feu et laissez mijoter environ 5 minutes, toujours à découvert. Retirez l'anis et la cannelle.
**3** Déposez les pâtes dans un grand récipient résistant à la chaleur et recouvrez-les d'eau bouillante. Laissez-les ramollir, puis égouttez-les.
**4** Disposez les pâtes, les boulettes de viande et le bouillon dans les bols de service ; parsemez-les de germes de soja, mélangés avec la coriandre, le piment et les oignons émincés. Servez avec des quartiers de citron vert si vous le souhaitez.

**à table** en 35 minutes
**pour** 4 personnes **par portion** 7,2 g de lipides (dont 2,9 g d'acides gras saturés) ; 303 cal ; 28,2 g de glucides ; 29,9 g de protéines ; 1,7 g de fibres

# Potage de légumes au gingembre et aux nouilles soba

2 litres de bouillon de légumes
1 c. à s. de tamari
100 g (20 cm) de gingembre frais râpé
3 gousses d'ail pilées
4 petites carottes (280 g), coupées en julienne
200 g de haricots mange-tout, écossés et coupés en deux dans la longueur
200 g de nouilles soba sèches

**1** Mélangez le bouillon, le tamari, le gingembre et l'ail dans une grande casserole et portez à ébullition. Réduisez le feu, couvrez et laissez frémir 5 minutes. Versez les carottes et les haricots ; laissez mijoter à découvert environ 3 minutes pour que les carottes soient tendres.
**2** Faites cuire les nouilles dans une petite casserole d'eau bouillante à découvert, puis égouttez.
**3** Disposez les nouilles dans les bols de service et recouvrez-les de soupe.

**à table** en 35 minutes
**pour** 4 personnes **par portion** 2,9 g de lipides (dont 1,1 g d'acides gras saturés) ; 274 cal ; 44,6 g de glucides ; 13,7 g de protéines ; 5,5 g de fibres
**note** les soba sont des nouilles japonaises à base de sarrasin, qui ressemblent aux spaghettis.

# Soupe de crevettes à la citronnelle

16 crevettes crues de taille moyenne
1 c. à s. d'huile d'arachide
20 g de blanc de citronnelle (1 tige de 10 cm), émincé finement
2 gousses d'ail pilées
20 g (4 cm) de gingembre frais râpé
1,25 litre de bouillon de poisson
750 ml d'eau
3 petits piments rouges frais, émincés en biseau
2 feuilles de citronnier kaffir ciselées
60 ml de nuoc-mâm
80 ml de jus de citron vert
4 tiges d'oignon vert, émincées en biseau
1 poignée de feuilles de coriandre fraîche
1 poignée de feuilles de basilic thaï

**1** Décortiquez les crevettes en gardant la queue intacte. Retirez la veine centrale. Réservez les têtes et les carapaces.
**2** Faites chauffer l'huile dans une casserole pour y faire colorer à feu vif pendant 3 minutes les têtes et les carapaces des crevettes. Ajoutez la citronnelle, l'ail et le gingembre. Laissez cuire en remuant sans cesse jusqu'à ce que le mélange embaume.
**3** Versez dans la casserole l'eau et le bouillon avant d'y ajouter le piment et les feuilles de kaffir. Portez à ébullition puis laissez frémir 10 minutes environ. Filtrez le bouillon dans un tamis fin.
**4** Réchauffez le bouillon. Dès les premiers frémissements, ajoutez les crevettes et laissez-les cuire quelques minutes : la chair doit devenir opaque. Retirez alors la casserole du feu pour y incorporer le nuoc-mâm et le jus de citron vert. Répartissez la soupe dans les bols. Décorez avec les tiges d'oignon vert émincées et les feuilles de coriandre et de basilic. Servez sans attendre.

**à table** en 35 minutes
**pour** 4 personnes **par portion** 5,9 g de lipides (dont 1 g d'acides gras saturés) ; 164 cal ; 3,6 g de glucides ; 23,2 g de protéines ; 1,1 g de fibres

# snacks
# + en-cas légers

# Rouleaux de pain lavash

1 tranche de pain lavash complet
¼ d'avocat (50 g)
1 c. à c. de tahini
60 g de betterave crue, grossièrement râpée
50 g de potiron cru, grossièrement râpé
¼ de petit poivron rouge (40 g), en fines lanières
40 g de champignons de Paris émincés
¼ d'oignon rouge (25 g), coupé en fines rondelles

**1** Écrasez grossièrement l'avocat puis étalez-le avec le tahini sur le pain.
**2** Disposez dessus les ingrédients restants, dans la longueur, puis roulez le pain pour enfermer la garniture.

**à table** en 15 minutes
**pour** 1 personne **par portion** 13,4 g de lipides (dont 2,6 g d'acides gras saturés) ; 350 cal ; 45,1 g de glucides ; 12,2 g de protéines ; 10,1 g de fibres

# Halloumi grillé et salade verte

150 g de frisée
50 g de pousses d'épinards
1 poignée de feuilles de persil plat frais
125 g de tomates séchées, finement hachées
250 g d'halloumi
**vinaigrette citron moutarde**
60 ml de jus de citron
1 gousse d'ail pilée
1 c. à s. d'eau
1 c. à c. de sucre en poudre
1 c. à c. de moutarde de Dijon
¼ de c. à c. de cumin en poudre
1 pincée de piment de Cayenne

**1** Préparez la vinaigrette citron moutarde.
**2** Mettez la frisée, les épinards, les feuilles de persil et les tomates séchées dans un saladier et nappez de vinaigrette. Remuez.
**3** Coupez le fromage en 8 tranches. Faites-le griller de chaque côté dans une poêle chaude huilée.
**4** Servez la salade assaisonnée avec le fromage grillé.
**vinaigrette citron moutarde** mettez les ingrédients dans un bocal, fermez et agitez vigoureusement.

**à table** en 20 minutes
**pour** 4 personnes **par portion** 12 g de lipides (dont 7 g d'acides gras saturés) ; 227 cal ; 11,8 g de glucides ; 17,3 g de protéines ; 5,4 g de fibres
**conseil** l'halloumi doit être cuisiné juste avant le service, sinon il risque de durcir.

# Sandwichs gourmets au poulet

600 g de filets de poulet
500 ml de bouillon de poulet
375 ml d'eau
50 g de tomates séchées au soleil, égouttées
1 c. à s. de romarin frais émincé
2 c. à s. de bouillon de poulet supplémentaire
½ pain turc
½ petit oignon rouge (50 g), émincé
1 concombre libanais (130 g), émincé
60 g de feuilles de roquette
95 g de yaourt maigre
½ c. à c. de graines de cumin noir grillées

**1** Disposez le poulet, le bouillon et l'eau dans une grande casserole et portez à ébullition. Réduisez le feu et laissez frémir à découvert environ 10 minutes. Laissez le poulet refroidir 10 minutes dans le bouillon. Retirez-le de la casserole et jetez le bouillon (ou réservez-le pour un autre emploi). Coupez le poulet en tranches fines.
**2** Posez les tomates sur du papier absorbant et appuyez pour éliminer le plus d'huile possible. Coupez les tomates en lamelles ; mixez-les avec le romarin et le bouillon supplémentaire, pour obtenir une pâte.
**3** Coupez le pain en deux, puis en tranches horizontales ; grillez-le des deux côtés. Tartinez les tranches de pâte aux tomates et garnissez de poulet, d'oignon, de concombre et de roquette. Servez avec le yaourt mélangé aux graines.

**à table** en 35 minutes
**pour** 4 personnes **par portion** 5,8 g de lipides (dont 1,4 g d'acides gras saturés) ; 315 cal ; 21,8 g de glucides ; 41,6 g de protéines ; 3,4 g de fibres
**note** les graines de cumin noir, plus foncées et plus sucrées que le cumin ordinaire, sont parfois confondues avec celles de nigelle. Elles servent beaucoup dans la cuisine indienne et marocaine. On les fait griller pour exalter leur goût de noisette.

# Crevettes à l'ail sur lit de pak choy et riz aux herbes

36 crevettes crues de taille moyenne (1 kg)
6 gousses d'ail pilées
2 c. à c. de coriandre fraîche ciselée
3 petits piments thaïs coupés en dés
80 ml de jus de citron vert
1 c. à c. de sucre en poudre
1 c. à s. d'huile d'arachide
1 kg de pak choy coupé en quatre dans la longueur
6 oignons verts émincés
1 c. à s. de sauce chili douce
**riz aux herbes**
400 g de riz parfumé au jasmin
2 c. à s. de coriandre ciselée
1 c. à s. de menthe ciselée
1 c. à s. de persil plat ciselé
1 c. à c. de zeste de citron vert finement râpé

**1** Préparez le riz aux herbes.
**2** Décortiquez les crevettes, retirez le fil noir et laissez les queues intactes.
**3** Mélangez les crevettes dans une terrine avec l'ail, la coriandre, les piments, le jus de citron vert et le sucre.
**4** Faites chauffer la moitié de l'huile dans un wok ; procédez en plusieurs tournées pour faire sauter le pak choy et les oignons verts avec la sauce chili.
**5** Remettez le mélange au pak choy et aux crevettes dans le wok ; faites-le sauter pour le réchauffer. Servez sur le riz aux herbes.
**riz aux herbes** faites cuire le riz à découvert, dans une grande casserole d'eau bouillante, puis égouttez-le. Versez le riz dans la poêle et mélangez-le aux autres ingrédients.

**à table** en 35 minutes
**pour** 6 personnes **par portion** 4,4 g de lipides (dont 0,7 g d'acides gras saturés) ; 374 cal ; 56,7 g de glucides ; 23,9 g de protéines ; 3,7 g de fibres

# Frittata légère aux petits pois et aux poivrons

Il vous faut 200 g de petits pois frais pour cette recette ce qui donnera 80 g de petits pois écossés.

80 g de petits pois frais écossés
1 poivron jaune moyen (200 g), coupé en fines tranches
1 petite patate douce (250 g), râpée
12 blancs d'œufs
120 g de crème fraîche allégée
150 g de feuilles de basilic frais
20 g de parmesan finement râpé

**1** Préchauffez le gril.
**2** Faites revenir les petits pois, le poivron et la patate douce dans une poêle de 20 cm de diamètre légèrement huilée, en remuant.
**3** Dans le même temps, fouettez les blancs d'œufs et la crème dans un bol moyen ; ajoutez le basilic.
**4** Versez cette préparation sur les légumes ; couvrez et faites cuire 10 minutes à feu doux. La frittata doit être presque prise.
**5** Saupoudrez la frittata de parmesan ; placez-la sous le gril pour la faire légèrement dorer.

**à table** en 35 minutes
**pour** 4 personnes **par portion** 7,8 g de lipides (dont 4,9 g d'acides gras saturés) ; 195 cal ; 13 g de glucides ; 16,7 g de protéines ; 2,8 g de fibres
**conseils** cette frittata se sert chaude ou à température ambiante. Vous pouvez congeler les jaunes d'œufs par lot de deux ou quatre pour les employer plus tard dans un gâteau ou une crème. Si vous préférez, utilisez des petits pois surgelés.

# Poulet tandoori à la raïta

400 g de filets de poulet
1 c. à s. de jus de citron vert
100 g de pâte tandoori
70 g de yaourt maigre
8 grandes tortillas
60 g de haricots mange-tout cuits
**raïta**
280 g de yaourt maigre
1 concombre libanais (130 g), épépiné et coupé en dés
1 c. à s. de menthe fraîche ciselée

**1** Mélangez le poulet avec le jus de citron vert, la pâte tandoori et le yaourt dans un bol.
**2** Procédez en plusieurs tournées pour faire cuire le poulet dans une poêle à griller huilée (ou au gril, ou au barbecue). Laissez-le reposer 5 minutes, puis coupez-le en tranches épaisses.
**3** Faites chauffer les tortillas selon les indications du fabricant.
**4** Préparez la raïta.
**5** Sur un quart de chaque tortilla, déposez des portions égales de poulet, de haricots mange-tout et de raïta. Pliez la tortilla en deux, puis de nouveau en deux pour former un cornet rempli de garniture.
**raïta** mélangez les ingrédients dans un petit bol.

**à table** en 20 minutes
**pour** 8 personnes **par portion** 8,4 g de lipides (dont 1,3 g d'acides gras saturés) ; 272 cal ; 28,3 g de glucides ; 18,9 g de protéines ; 3 g de fibres

# Rouleaux de printemps au canard laqué

½ canard laqué
2 oignons verts
12 galettes de riz carrées de 17 cm
2 c. à s. de sauce hoisin
1 c. à s. de sauce aux prunes
1 concombre libanais (130 g), épépiné et coupé en bâtonnets

**1** Prélevez la peau et la chair du canard et coupez-les en tranches fines. Jetez les os. Tranchez chaque oignon vert en biais, en trois morceaux de même taille, puis en fines lamelles.
**2** Pour garnir les rouleaux, trempez chaque galette de riz dans un bol d'eau chaude pour la ramollir. Sortez-la de l'eau avec soin et posez-la, une pointe du carré vers vous, sur une planche recouverte d'un torchon. Étalez 1 cuillerée à café des sauces mélangées sur une ligne verticale au milieu de la galette ; recouvrez d'un peu de concombre, d'oignon vert et de canard. Rabattez les coins supérieur et inférieur avant de rouler la galette sur le côté pour la refermer sur la garniture. Recommencez avec les autres galettes de riz, les sauces, le concombre, l'oignon vert et le canard.

**à table** en 20 minutes
**pour** 12 rouleaux **par rouleau** 6,5 g de lipides (dont 1,9 g d'acides gras saturés) ; 105 cal ; 5,9 g de glucides ; 5,4 g de protéines ; 0,7 g de fibres

# Œufs pochés aux asperges et béchamel à l'aneth

20 g de beurre
¼ de c. à c. de filaments de safran
1 c. à c. de moutarde de Dijon
1 c. à s. de farine
250 ml de bouillon de légumes
2 c. à s. d'aneth ciselé
750 g d'asperges parées
4 œufs

**1** Faites fondre le beurre avec le safran dans une petite casserole à feu moyen ; incorporez la moutarde. Ajoutez la farine et tournez pour faire bouillonner et épaissir le mélange. Versez peu à peu le bouillon ; mélangez jusqu'à ce que l'ébullition reprenne et que la béchamel épaississe. Ajoutez l'aneth.
**2** Faites cuire les asperges à l'eau bouillante, à la vapeur ou au micro-ondes, puis égouttez-les. Couvrez-les pour les garder au chaud.
**3** Remplissez à moitié d'eau une grande sauteuse et portez à ébullition. Cassez les œufs dans un bol et faites-les glisser dans la sauteuse. Portez de nouveau à ébullition. Couvrez, puis arrêtez le feu ; laissez reposer 4 minutes. Une légère pellicule de blanc doit recouvrir les jaunes. Avec une spatule, retirez les œufs de la sauteuse, un à un ; déposez-les sur une assiette creuse tapissée de papier absorbant pour éliminer l'eau de cuisson.
**4** Répartissez les asperges dans les assiettes de service ; posez dessus les œufs et nappez le tout de béchamel à l'aneth.

**à table** en 25 minutes
**pour** 4 personnes **par portion** 9,8 g de lipides (dont 4,4 g d'acides gras saturés) ; 153 cal ; 4,5 g de glucides ; 10,9 g de protéines ; 2 g de fibres

# Raviolis aux crevettes à la vapeur

500 g de crevettes crues de taille moyenne
2 c. à s. de sauce chili douce
2 oignons verts émincés
1 gousse d'ail pilée
10 g (5 cm) de gingembre râpé
2 c. à s. de coriandre fraîche ciselée
10 g (½ tige de 10 cm) de citronnelle coupée en dés
24 galettes de pâte wonton

**1** Décortiquez les crevettes et retirez le fil noir ; hachez-les finement.
**2** Mélangez les crevettes, la sauce chili, les oignons verts, l'ail, le gingembre, la coriandre et la citronnelle dans un bol moyen.
**3** Déposez une grosse cuillerée de la préparation au milieu de chaque galette ; mouillez les bords. Pliez les galettes en deux et pincez les bords pour bien les fermer.
**4** Disposez les raviolis en une seule couche dans un panier vapeur en bambou. Couvrez et procédez en plusieurs tournées pour les faire cuire 5 minutes au-dessus d'un wok rempli d'eau frémissante.

**à table** en 25 minutes
**pour** 6 personnes **par portion** 1 g de lipides (dont 0,2 g d'acides gras saturés) ; 112 cal ; 14 g de glucides ; 10,9 g de protéines ; 1,2 g de fibres

# Hamburgers au falafel

600 g de pois chiches en boîte, rincés et égouttés
1 oignon brun moyen (150 g), coupé en gros morceaux
2 gousses d'ail coupées en quatre
75 g de persil plat haché
2 c. à c. de coriandre en poudre
1 c. à c. de cumin en poudre
2 c. à s. de farine
1 c. à c. de bicarbonate de soude
1 œuf légèrement battu
1 long pain turc (430 g)
1 grosse tomate (220 g), coupée en tranches minces
20 g de roquette
**sauce au yaourt et au tahini**
70 g de yaourt maigre
2 c. à s. de tahini
1 c. à s. de jus de citron

**1** Mixez les pois chiches, l'oignon, l'ail, le persil, la coriandre, le cumin, la farine, le bicarbonate de soude et l'œuf pour obtenir une pâte presque homogène. Avec les mains, façonnez des hamburgers de falafel. Faites-les cuire dans une poêle à griller huilée, à découvert, pendant 10 minutes ou jusqu'à ce que les deux côtés soient dorés.
**2** Préparez la sauce au yaourt et au tahini.
**3** Coupez le pain en quartiers ; faites-le griller des deux côtés.
**4** Coupez chaque morceau de pain en deux tranches horizontales et disposez la sauce, la tomate, le falafel et les feuilles de roquette entre les deux moitiés de pain.
**sauce au yaourt et au tahini** mélangez les ingrédients dans un petit bol.

**à table** en 25 minutes
**pour** 4 personnes **par portion** 13,1 g de lipides (dont 2 g d'acides gras saturés) ; 506 cal ; 69,1 g de glucides ; 22,1 g de protéines ; 10,4 g de fibres
**conseil** quand vous faites cuire les falafels, servez-vous de deux spatules pour les retourner sans les défaire.

# Quesadillas aux épinards et au fromage

130 g de fromage blanc maigre
100 g d'épinards parés
1 avocat moyen (230 g) coupé en petits dés
200 g de haricots mexicains en boîte, égouttés
125 g de maïs en boîte, égoutté
2 tomates moyennes (380 g), épépinées et coupées en petits dés
1 petit oignon rouge (100 g) ciselé
2 courgettes moyennes (240 g) râpées
16 petites tortillas
150 g de mozzarella allégée, râpée

**1** Préchauffez le gril.
**2** Mixez le fromage blanc et les épinards pour obtenir une pâte lisse. Dans un bol moyen, incorporez l'avocat, les haricots, le maïs, les tomates, l'oignon et les courgettes.
**3** Disposez 8 tortillas sur une lèchefrite légèrement huilée ; répartissez le mélange aux épinards sur les tortillas jusqu'à 2 cm du bord. Déposez dessus la préparation à l'avocat, puis recouvrez avec les tortillas restantes.
**4** Saupoudrez les quesadillas de mozzarella ; placez-les sous le gril. Le fromage doit dorer et fondre à peine.

**à table** en 30 minutes
**pour** 8 personnes **par portion** 11,3 g de lipides (dont 3,8 g d'acides gras saturés) ; 280 cal ; 26,8 g de glucides ; 15,4 g de protéines ; 4,3 g de fibres
**note** les quesadillas sont des tortillas fourrées, puis grillées ou frites, et servies avec une salade fraîche. Nous nous servons de petites tortillas de 16 cm de diamètre environ ; sur certains emballages, elles sont appelées « fajitas ».

# salades

# Salade vietnamienne au poulet

500 g de filets de poulet
1 grosse carotte, taillée en julienne
125 ml de vinaigre d'alcool de riz
2 c. à c. de sel
2 c. à s. de sucre en poudre
1 oignon blanc de taille moyenne (150 g), émincé
120 g de germes de soja
160 g de chou frisé de Milan
40 g de feuilles de menthe vietnamienne
75 g de coriandre fraîche
1 c. à s. de cacahuètes grillées et broyées
2 c. à s. d'échalotes frites
**vinaigrette vietnamienne**
2 c. à s. de nuoc-mâm
60 ml d'eau
2 c. à s. de sucre en poudre
2 c. à s. de jus de citron vert
1 gousse d'ail pilée

**1** Placez les filets de poulet dans une casserole d'eau bouillante et faites reprendre l'ébullition. Réduisez le feu et laissez mijoter à découvert 10 minutes. Laissez les filets refroidir 10 minutes dans l'eau de cuisson puis jetez-la. Coupez le poulet en lamelles.
**2** Dans un grand bol, mélangez la carotte avec le vinaigre, le sel et le sucre, puis couvrez ; laissez reposer 5 minutes. Ajoutez l'oignon, couvrez et laissez reposer 5 minutes. Incorporez les germes de soja, couvrez et attendez 3 minutes. Égouttez les légumes et jetez le vinaigre.
**3** Préparez la vinaigrette vietnamienne.
**4** Disposez les légumes dans un grand saladier avec le poulet, le chou, les herbes aromatiques et la vinaigrette, puis mélangez. Saupoudrez de cacahuètes et d'échalotes.
**vinaigrette vietnamienne** placez les ingrédients dans un bocal, fermez puis secouez.

**à table** en 35 minutes
**pour** 4 personnes **par portion** 8,9 g de lipides (dont 2,3 g d'acides gras saturés) ; 304 cal ; 24,3 g de glucides ; 31 g de protéines ; 5,1 g de fibres

# Salade de porc au citron kaffir

600 g de filets mignons de porc
2 c. à s. de sucre de palme râpé
1 c. à s. de zeste de citron vert râpé
2 c. à c. d'huile d'arachide
350 g de cresson
1 bouquet de basilic thaï frais sans les tiges
1 poignée de feuilles de coriandre fraîches
1 poignée de feuilles de menthe fraîches
120 g de germes de soja
1 poivron vert moyen (200 g), finement émincé
**sauce au citron kaffir**
2 gousses d'ail pilées
3 échalotes (75 g), finement émincées
1 petit piment rouge frais, finement émincé
3 feuilles de citronnier kaffir fraîches, ciselées
60 ml de jus de citron vert
80 ml de nuoc-mâm
2 c. à c. de sucre de palme râpé

**1** Ouvrez les filets de porc en deux. Mélangez le sucre de palme, le zeste de citron vert et l'huile dans un saladier.
**2** Ajoutez la viande et retournez-la plusieurs fois dans cette marinade. Faites-la cuire 15 minutes environ à feu moyen dans une grande poêle chaude. Couvrez-la et laissez-la reposer 5 minutes avant de la détailler en tranches fines.
**3** Préparez la sauce au citron kaffir.
**4** Mélangez les tranches de porc, le cresson, le basilic, la coriandre, la menthe, les germes de soja et le poivron dans un saladier. Nappez de sauce et remuez délicatement.
**sauce au citron kaffir** mettez tous les ingrédients dans un bocal muni d'un couvercle, fermez puis secouez.

**à table** en 30 minutes
**pour** 4 personnes **par portion** 6,4 g de lipides (dont 1,6 g d'acides gras saturés) ; 264 cal ; 12,2 g de glucides ; 38,8 g de protéines ; 5,8 g de fibres

# Salade César

4 tranches de pain blanc
4 tranches de jambon de Parme (40 g)
4 cœurs de laitue
20 g de parmesan finement râpé
**vinaigrette**
70 g de yaourt maigre
75 g de mayonnaise allégée
2 gousses d'ail en quartiers
5 filets d'anchois égouttés
½ c. à c. de sauce Worcestershire
½ c. à c. de moutarde de Dijon
1 ½ c. à s. de jus de citron

**1** Préchauffez le four à 180 °C ou à 160 °C pour un four à chaleur tournante.
**2** Ôtez la croûte du pain et coupez-le en cubes de 1 cm de côté. Répartissez-les sur une lèchefrite et faites-les cuire à découvert pendant 5 minutes.
**3** Faites revenir le jambon à découvert dans une poêle huilée jusqu'à ce qu'il soit croustillant. Coupez-le en petits morceaux.
**4** Préparez la vinaigrette.
**5** Mélangez les croûtons, le jambon et la vinaigrette dans un grand saladier avec la laitue et le fromage ; remuez doucement.
**vinaigrette** mixez le yaourt, la mayonnaise, l'ail, les anchois, la sauce Worcestershire, la moutarde et le jus de citron pour obtenir une vinaigrette onctueuse.

**à table** en 25 minutes
**pour** 8 personnes **par portion** 4,7 g de lipides (dont 1,1 g d'acides gras saturés) ; 98 cal ; 9,1 g de glucides ; 4,5 g de protéines ; 0,9 g de fibres

# Salade au poulet et aux nouilles sautées

4 filets de poulet (680 g)
500 g de pak choy coupé en lanières
250 g de tomates cerises coupées en deux
50 g de shiitake coupés en fines lamelles
40 g de coriandre fraîche
80 g de germes de soja
3 oignons verts émincés
100 g de nouilles frites
**vinaigrette**
80 ml de sauce de soja légère
1 c. à c. d'huile de sésame
2 c. à s. de xérès sec

**1** Faites dorer le poulet sur les deux faces, dans une poêle à griller huilée (ou au gril, ou au barbecue) et procédez en plusieurs tournées. Laissez-le reposer 5 minutes, puis tranchez-le en fines lamelles.
**2** Préparez la vinaigrette.
**3** Déposez le poulet dans un grand saladier avec le reste des ingrédients et la vinaigrette. Mélangez délicatement.
**vinaigrette** placez les ingrédients dans un pot de confiture bien fermé puis secouez.

**à table** en 20 minutes
**pour** 4 personnes **par portion** 7,6 g de lipides (dont 2,1 g d'acides gras saturés) ; 298 cal ; 9 g de glucides ; 43,2 g de protéines ; 4,4 g de fibres

# Salade au thon et aux haricots blancs

600 g de haricots blancs en boîte, égouttés et rincés
425 g de thon en boîte, égoutté et émietté
1 oignon moyen (170 g), émincé
75 g de persil frais, ciselé
250 g de tomates cerises coupées en quartiers
1 long pain turc
**vinaigrette**
2 c. à s. d'huile d'olive
1 c. à s. de vinaigre blanc
2 c. à c. de zeste de citron finement râpé
2 c. à s. de jus de citron
2 gousses d'ail pilées

**1** Préparez la vinaigrette.
**2** Disposez les haricots et le thon dans un grand saladier avec l'oignon, le persil, l'origan, les tomates et la vinaigrette. Remuez délicatement.
**3** Coupez le pain en quatre, en biais, puis chaque morceau en deux tranches horizontales, puis de nouveau en diagonale pour obtenir 16 triangles. Grillez-les, la partie coupée vers le haut.
**vinaigrette** placez les ingrédients dans un bocal avec couvercle, fermez et secouez.

**à table** en 20 minutes
**pour** 8 personnes **par portion** 6,7 g de lipides (dont 1,2 g d'acides gras saturés) ; 190 cal ; 16,6 g de glucides ; 14,2 g de protéines ; 3 g de fibres
**note** on trouve de nombreuses variétés de haricots blancs en conserve, qui conviennent toutes pour cette salade.

# Salade vietnamienne au tofu

400 g de tofu ferme
4 petites carottes (280 g)
160 g de chou vert en fines lanières
160 g de chou rouge en fines lanières
2 petits poivrons jaunes (300 g) en fines lanières
160 g de germes de soja
8 oignons verts en fines lamelles
1 grosse poignée de feuilles de coriandre fraîches
**sauce au citron vert et à l'ail**
250 ml de jus de citron vert
2 gousses d'ail pilées

**1** Disposez le tofu en une seule couche sur un plateau garni de papier absorbant ; recouvrez-le d'une autre feuille de papier absorbant et laissez-le dégorger 10 minutes.
**2** Pendant ce temps, détaillez les carottes en petits rubans à l'aide d'un épluche-légumes. Mettez-les dans un saladier avec le chou vert, le chou rouge, les poivrons, les germes de soja, les oignons et la coriandre.
**3** Coupez le tofu en quatre et faites-le dorer dans une petite poêle chaude légèrement huilée.
**4** Préparez la sauce, puis versez-la sur la salade et remuez. Servez le tofu tiède à part.
**sauce au citron vert et à l'ail** fouettez le jus de citron vert et l'ail dans un bol.

**à table** en 30 minutes
**pour** 4 personnes **par portion** 7,4 g de lipides (dont 1 g d'acides gras saturés) ; 200 cal ; 11,8 g de glucides ; 17,1 g de protéines ; 9,3 g de fibres

# Salade de bœuf à la papaye verte

600 g de rumsteck
800 g de papaye verte
2 tomates moyennes (300 g), épépinées et coupées en fines tranches
180 g de laitue iceberg coupée en lanières
2 concombres libanais (260 g), épépinés et coupés en rondelles
**vinaigrette**
80 ml de jus de citron vert
2 c. à s. de nuoc-mâm
1 c. à s. de sucre roux
2 gousses d'ail pilées
3 petits piments verts coupés en dés
30 g de coriandre fraîche ciselée

**1** Faites cuire le bœuf dans une poêle à griller huilée (ou au gril, ou au barbecue), à découvert, selon le degré de cuisson désiré. Couvrez-le, laissez reposer 5 minutes, puis coupez-le en tranches fines.
**2** Pelez la papaye. Coupez-la en quartiers, jetez les graines et râpez-la.
**3** Préparez la vinaigrette.
**4** Disposez le bœuf et la papaye dans un grand saladier avec les tomates, la laitue, le concombre et la vinaigrette ; remuez délicatement.
**vinaigrette** placez les ingrédients dans un bocal avec couvercle, fermez et secouez.

**à table** en 35 minutes
**pour** 4 personnes **par portion** 10,4 g de lipides (dont 4,5 g d'acides gras saturés) ; 311 cal ; 15,3 g de glucides ; 36,2 g de protéines ; 5,3 g de fibres

# Salade thaïe au poulet

Pour cette recette, il vous faudra acheter un poulet rôti d'environ 900 g.

350 g de haricots verts, écossés et coupés en deux
1 c. à c. de zeste de citron vert finement râpé
2 c. à s. de jus de citron vert
1 c. à s. de sucre de palme râpé
1 gousse d'ail pilée
1 c. à s. d'huile d'arachide
75 g de menthe fraîche ciselée
2 c. à c. de sauce chili douce
1 c. à s. de nuoc-mâm
500 g de poulet cuit coupé en lamelles
150 g de coriandre fraîche ciselée
250 g de tomates cerises coupées en deux
1 petit piment thaï rouge coupé en dés

**1** Faites cuire les haricots verts à l'eau bouillante, à la vapeur ou au micro-ondes sans les laisser ramollir. Rincez-les à l'eau froide et égouttez-les.
**2** Mélangez le zeste de citron, le jus de citron, le sucre, l'ail, l'huile, la menthe et les sauces dans un grand saladier. Ajoutez les haricots, le poulet, les trois quarts de la coriandre et les tomates ; remuez délicatement.
**3** Juste avant de servir, parsemez le reste de la coriandre et le piment sur la salade.

**à table** en 20 minutes
**pour** 4 personnes **par portion** 12 g de lipides (dont 2,9 g d'acides gras saturés) ; 258 cal ; 7,9 g de glucides ; 27,6 g de protéines ; 4,2 g de fibres

# Salade de nouilles soba au daikon

300 g de nouilles soba séchées
1 petit daikon (400 g), coupé en julienne
4 oignons verts émincés
1 c. à c. d'huile de sésame
100 g d'enoki
2 c. à s. de gingembre au vinaigre, en fines lamelles
1 feuille d'algue grillée (yaki-nori), coupée en lamelles
**vinaigrette au mirin**
60 ml de mirin
2 c. à s. de kecap manis
1 c. à s. de saké
1 gousse d'ail pilée
5 g (1 cm) de gingembre frais râpé
1 c. à c. de sucre en poudre

**1** Faites cuire les nouilles dans une grande casserole d'eau bouillante, à découvert, puis égouttez. Rincez-les à l'eau froide et égouttez-les.
**2** Préparez la vinaigrette au mirin.
**3** Déposez les nouilles dans un grand saladier avec le daikon, les oignons verts et la moitié de la vinaigrette ; remuez délicatement.
**4** Faites chauffer l'huile dans une petite poêle. Faites revenir les champignons 2 minutes en remuant.
**5** Répartissez la salade entre les assiettes de service, garnissez avec les champignons mélangés au gingembre et aux algues. Versez en filet le reste de la vinaigrette.
**vinaigrette au mirin** placez les ingrédients dans un bocal, fermez et secouez.

**à table** en 35 minutes
**pour** 4 personnes **par portion** 6 g de lipides (dont 1,6 g d'acides gras saturés) ; 166 cal ; 12,8 g de glucides ; 11,2 g de protéines ; 6,9 g de fibres

# Salade japonaise à l'omelette

1 daikon moyen (600 g)
2 carottes moyennes (240 g)
6 gros radis rouges (210 g), coupés en fines tranches
120 g de chou rouge ciselé
120 g de germes de soja
2 c. à s. de gingembre rose au vinaigre, en fines lamelles
6 oignons verts émincés
4 œufs légèrement battus
1 c. à s. de sauce de soja
½ feuille d'algue grillée (yaki-nori), coupée en lamelles

**vinaigrette au wasabi**
1 c. à s. de jus de gingembre rose au vinaigre
2 c. à s. de sauce de soja
1 c. à s. de mirin
1 c. à c. de wasabi

**1** À l'aide d'un économe, taillez le daikon et les carottes en rubans. Déposez-les dans un grand saladier avec les radis, le chou, les germes de soja, le gingembre et les trois-quarts des oignons verts.
**2** Mélangez les œufs, la sauce et les algues dans un petit récipient. Versez la moitié de cette préparation dans une grande poêle chaude et huilée ; faites-la cuire à découvert et arrêtez la cuisson dès que l'omelette a pris. Faites-la glisser sur un plat et roulez-la. Découpez-la en anneaux et recommencez avec l'autre moitié des œufs.
**3** Préparez la vinaigrette au wasabi.
**4** Versez la vinaigrette sur la salade et remuez délicatement. Disposez la salade dans les bols de service et garnissez-la avec les anneaux d'omelette et le reste des oignons verts.
**vinaigrette au wasabi** placez les ingrédients dans un bocal, fermez et secouez.

**à table** en 25 minutes
**pour** 4 personnes **par portion** 10,4 g de glucides ; 6,2 g de lipides (dont 1,7 g d'acides gras saturés) ; 610 cal ; 11,7 g de protéines

# Salade de nouilles croustillantes

500 g de chou chinois en fines lanières
1 petite boîte de châtaignes d'eau, rincées et émincées
150 g de pois gourmands en petits tronçons
1 gros poivron rouge en fines lanières
100 g de nouilles croustillantes
50 g de noix de cajou grillées, grossièrement pilées
2 poignées de coriandre fraîche
**sauce au sésame et au soja**
1 c. à c. d'huile de sésame
60 ml de sauce de soja
1 c. à s. de sauce au piment doux
2 c. à s. de jus de citron vert

**1** Dans un saladier, mélangez le chou, les châtaignes, les pois gourmands, le poivron et les nouilles croustillantes.
**2** Préparez la sauce au sésame et au soja.
**3** Répartissez la salade dans les assiettes de service, décorez de noix de cajou et de coriandre, nappez de sauce et servez aussitôt.
**sauce au sésame et au soja** mettez tous les ingrédients dans un bocal, fermez le couvercle puis agitez vigoureusement.

**à table** en 15 minutes
**pour** 4 personnes **par portion** 10,8 g de lipides (dont 2,2 g d'acides gras saturés) ; 208 cal ; 19,1 g de glucides ; 8,3 g de protéines ; 6,4 g de fibres

# Salade de tomates rôties à l'orge

200 g d'orge perlé
8 tomates olivettes (600 g), coupées en quartiers
4 petits poivrons verts (600 g), coupés en petits dés
2 petits oignons rouges (200 g), hachés
1 grosse poignée de persil plat, ciselé
**sauce au citron et à l'aneth**
160 ml de jus de citron
3 c. à s. d'aneth frais ciselé
1 c. à s. d'huile d'olive
2 gousses d'ail pilées

**1** Préchauffez le four à 240 °C ou à 220 °C pour un four à chaleur tournante.
**2** Faites cuire l'orge perlé 20 minutes dans une petite casserole d'eau bouillante, sans couvrir. Rincez-le sous l'eau froide puis égouttez-le bien.
**3** Disposez les tomates sur une plaque de cuisson légèrement huilée, face tranchée vers le haut, et faites-les cuire 15 minutes au four.
**4** Préparez la sauce au citron et à l'aneth.
**5** Mélangez l'orge et la moitié des tomates dans un saladier, ajoutez les poivrons, les oignons, le persil et la sauce. Remuez doucement. Garnissez des tomates restantes.
**sauce au citron et à l'aneth** mettez tous les ingrédients dans un bocal avec couvercle, fermez puis secouez vigoureusement.

**à table** en 35 minutes
**pour** 4 personnes **par portion** 6,4 g de lipides (dont 0,9 g d'acides gras saturés) ; 285 cal ; 44,4 g de glucides ; 10,7 g de protéines ; 13,4 g de fibres

# Salade de haricots blancs

50 g de mesclun
100 g de haricots blancs en boîte, rincés et égouttés
2 c. à s. d'estragon frais ciselé
2 c. à s. de persil plat frais ciselé
1 petite carotte coupée en julienne
½ concombre libanais (65 g), coupé en julienne
2 radis rouges (70 g), épluchés et coupés en julienne
2 c. à s. de jus de pomme
1 c. à s. de vinaigre de cidre
1 c. à s. de graines de tournesol grillées
1 c. à s. de graines de courge grillées

**1** Disposez le mesclun, les haricots, les herbes, la carotte, le concombre et les radis, ainsi que le jus de pomme et le vinaigre dans un saladier de taille moyenne. Remuez délicatement.
**2** Saupoudrez la salade de graines et servez.

**à table** en 15 minutes
**pour** 1 personne **par portion** 12,3 g de lipides (dont 0,5 g d'acides gras saturés) ; 274 cal ; 21 g de glucides ; 10,1 g de protéines ; 12,5 g de fibres
**note** on trouve de nombreuses variétés de haricots blancs en conserve, qui conviennent toutes pour cette salade.

# Panzanella

1 litre d'eau
250 g de pain au levain rassis, en tranches de 2 cm
440 g de tomates grossièrement coupées
1 petit oignon rouge émincé
2 concombres libanais coupés en gros morceaux
2 grosses poignées de basilic frais
2 c. à s. d'huile d'olive
2 c. à s. de vinaigre de vin rouge
1 gousse d'ail pilée

**1** Faites ramollir le pain dans 1 litre d'eau froide, égouttez-le sur du papier absorbant et détaillez-le en cubes.
**2** Dans un saladier, mettez les tomates, l'oignon, les concombres et le basilic. Dans un bol, mélangez l'huile, le vinaigre et l'ail. Versez cette sauce sur la salade, ajoutez le pain et remuez délicatement.
Servez sans attendre.

**à table** en 20 minutes
**pour** 4 personnes **par portion** 11 g de lipides (dont 1,5 g d'acides gras saturés) ; 264 cal ; 33,2 g de glucides ; 7,5 g de protéines ; 6 g de fibres

# Salade de pommes de terre et de haricots verts

2 petites pommes de terre (240 g) non pelées, coupées en quartiers
150 g de haricots verts coupés en tronçons de 3 cm
230 g de pousses de roquette
½ petit oignon rouge (50 g), en fines lanières
**sauce au yaourt et au citron**
95 g de yaourt maigre
1 c. à s. de zeste de citron râpé
1 c. à s. de jus de citron frais
1 c. à s. de persil plat frais ciselé

**1** Faites cuire séparément les pommes de terre et les haricots verts, à la vapeur ou au micro-ondes. Égouttez-les. Passez-les haricots sous l'eau froide puis égouttez-les à nouveau.
**2** Transférez les pommes de terre et les haricots verts dans un saladier avec la roquette et l'oignon.
**3** Préparez la sauce au yaourt et au citron et nappez-en la salade.
**sauce au yaourt et au citron** mélangez tous les ingrédients dans un bol.

**à table** en 30 minutes
**pour** 1 personne **par portion** 6,6 g de lipides (dont 1 g d'acides gras saturés) ; 313 cal ; 43,9 g de glucides ; 15,2 g de protéines ; 10,3 g de fibres

# Salade chaude au riz et aux pois chiches

200 g de riz doongara
430 ml d'eau
300 g de pois chiches, rincés et égouttés
40 g de raisins de Smyrne
35 g d'abricots secs coupés en petits dés
2 oignons verts ciselés
2 c. à s. de pignons de pin grillés
**vinaigrette orange balsamique**
1 c. à c. de zeste d'orange finement râpé
80 ml de jus d'orange
1 c. à s. de vinaigre balsamique
1 gousse d'ail pilée
5 g (1 cm) de gingembre râpé

**1** Versez le riz et l'eau dans une casserole de taille moyenne à fond épais, couvrez et portez à ébullition. Réduisez le feu et laissez frémir environ 8 minutes. Retirez du feu et laissez reposer 10 minutes, toujours avec le couvercle. Remuez le riz avec une fourchette.
**2** Préparez la vinaigrette balsamique.
**3** Disposez le riz dans un grand saladier avec le reste des ingrédients, assaisonnez. Remuez délicatement.
**vinaigrette balsamique** placez les ingrédients dans un bocal, fermez et secouez.

**à table** en 35 minutes
**pour** 6 personnes **par portion** 4,3 g de lipides (dont 0,3 g d'acides gras saturés) ; 228 cal ; 39,8 g de glucides ; 5,5 g de protéines ; 3,1 g de fibres
**note** le riz doongara a un index glycémique plus faible que la plupart des autres riz, mais il peut être remplacé par du riz basmati.

# Salade de papaye verte

250 ml d'eau
125 ml de vinaigre de riz
110 g de sucre en poudre
1 c. à c. de sel
1 piment de Cayenne frais, coupés en deux dans la longueur
1 petite papaye verte pelée, évidée et râpée
150 g de pois gourmands
100 g de vermicelles de soja
1 petit oignon rouge (100 g), émincé
½ ananas (450 g), coupé en dés
2 grosses poignées de feuilles de menthe fraîches
1 piment de Cayenne frais, émincé
**assaisonnement au sucre de palme**
60 ml de jus de citron vert
2 c. à s. de sucre de palme râpé

**1** Dans une casserole, portez à ébullition l'eau, le vinaigre, le sucre, le sel et le piment de Cayenne. Laissez frémir 5 minutes sans couvrir. Filtrez. Laissez refroidir 10 minutes.
**2** Laissez macérer la papaye à couvert dans la préparation vinaigrée pendant que vous préparez le reste.
**3** Faites cuire les pois gourmands puis égouttez-les. Dans un bol couvrez les nouilles d'eau bouillante. Égouttez-les quand elles sont tendres, rincez-les sous l'eau froide et coupez-les grossièrement avec des ciseaux de cuisine.
**4** Préparez l'assaisonnement au sucre de palme.
**5** Après avoir égoutté la papaye, mettez-la dans un saladier avec les pois gourmands, les nouilles, l'ananas, l'oignon et les feuilles de menthe. Assaisonnez et remuez bien.
**6** Servez la salade décorée de piment rouge finement haché.
**assaisonnement au sucre de palme** mettez le jus de citron et le sucre de palme dans un bocal, fermez et secouez.

**à table** en 35 minutes
**pour** 4 personnes **par portion** 0,4 g de lipides (dont 0 g d'acides gras saturés) ; 138 cal ; 29 g de glucides ; 3,1 g de protéines ; 6,4 g de fibres
**conseil** choisissez les papayes à la peau verte et brillante, signe de fraîcheur. Elles doivent être mûres, sinon vous aurez du mal à les peler et à les râper.

# Salade mélangée aux haricots

150 g de haricots rouges et blancs en boîte, rincés et égouttés
1 branche de céleri (100 g), parée et hachée
½ poivron jaune (100 g), coupé en petits dés
30 g d'olives noires dénoyautées et grossièrement hachées
1 petite poignée de persil plat ciselée
½ petit oignon rouge (50 g), en fines lanières
20 g de pousses de roquette
**assaisonnement**
1 gousse d'ail pilée
2 c. à s. d'huile d'olive
2 c. à c. de jus de citron frais

**1** Préparez l'assaisonnement.
**2** Disposez les ingrédients dans une assiette et nappez-les d'assaisonnement.
**assaisonnement** mettez les ingrédients dans un bocal, fermez et secouez vigoureusement.

**à table** en 15 minutes
**pour** 1 personne **par portion** 10,3 g de lipides (dont 1,5 g d'acides gras saturés) ; 238 cal ; 27,6 g de glucides ; 9,3 g de protéines ; 10,5 g de fibres

# Légumes verts à la sauce moutarde

200 g de haricots verts parés
200 g de haricots mange-tout parés
200 g de pois gourmands parés
1 grosse poignée de persil plat frais
1 petite poignée de cerfeuil frais
100 g de pousses de roquette
50 g de raisins de Corinthe
**sauce moutarde**
2 c. à s. de moutarde douce
2 c. à s. de jus de citron
2 c. à s. d'huile d'olive

**1** Faites cuire séparément, à la vapeur ou dans de l'eau bouillante, les haricots et les pois gourmands. Égouttez-les, passez-les sous l'eau froide, puis égouttez-les à nouveau.
**2** Transférez les haricots et les pois gourmands dans un saladier, ajoutez les herbes, la roquette et les raisins de Corinthe.
**3** Préparez la sauce moutarde et nappez-en la salade.
**sauce moutarde** mettez tous les ingrédients dans un bocal, fermez et secouez.

**à table** en 35 minutes
**pour** 4 personnes **par portion** 9,9 g de lipides (dont 1,3 g d'acides gras saturés) ; 171 cal ; 15 g de glucides ; 5,7 g de protéines ; 5,6 g de fibres

# Salade niçoise

200 g de haricots verts écossés et coupés en morceaux
250 g de tomates cerises coupées en deux
80 g d'olives noires dénoyautées
2 concombres libanais (260 g), coupés en tranches épaisses
1 oignon rouge moyen (170 g), émincé
150 g de mesclun
6 œufs durs coupés en quartiers
425 g de thon en boîte, égoutté
**vinaigrette légère**
1 c. à c. d'huile d'olive
60 ml de jus de citron
1 gousse d'ail pilée
2 c. à c. de moutarde de Dijon

**1** Faites cuire les haricots à l'eau bouillante, à la vapeur ou au micro-ondes, puis égouttez-les. Rincez-les à l'eau froide et égouttez-les de nouveau.
**2** Préparez la vinaigrette légère.
**3** Transférez les haricots dans un grand saladier avec les tomates, les olives, les concombres, l'oignon, le mesclun, les œufs et la vinaigrette ; remuez délicatement.
**4** Disposez la salade sur les assiettes de service et garnissez-la de thon émietté.
**vinaigrette légère** placez les ingrédients dans un bocal, fermez et secouez.

**à table** en 30 minutes
**pour** 4 personnes **par portion** 12,4 g de lipides (dont 3,6 g d'acides gras saturés) ; 302 cal ; 11,9 g de glucides ; 33,1 g de protéines ; 4,9 g de fibres

# Salade d'orge perlé

400 g d'orge perlé
500 g d'asperges vertes en tronçons de 4 cm
500 g de tomates cerises coupées en deux
2 concombres libanais (260 g), en tranches fines
180 g de laitue ciselée
1 poignée de basilic frais hachée
160 ml de jus de citron

**1** Faites cuire l'orge perlé 25 minutes dans une petite casserole d'eau bouillante, sans couvrir. Égouttez-le puis laissez-le refroidir 10 minutes.
**2** Faites cuire les asperges à la vapeur ou dans de l'eau bouillante. Elles doivent rester croquantes. Égouttez-les.
**3** Mélangez dans un saladier l'orge, les asperges, les tomates, le concombre et la laitue. Versez le jus de citron et remuez. Décorez de basilic.

**à table** en 35 minutes
**pour** 4 personnes **par portion** 2,9 g de lipides (dont 0,4 g d'acides gras saturés) ; 362 cal ; 68,4 g de glucides ; 13,5 g de protéines ; 17 g de fibres

# Tortillas et salade mexicaine aux haricots

4 tomates moyennes (600 g), épépinées et coupées en gros morceaux
450 g de mélange de haricots en boîte, rincés et égouttés
300 g de haricots rouges en boîte, rincés et égouttés
75 g de coriandre fraîche ciselée
60 ml de jus de citron vert
1 petit oignon rouge (100 g), émincé
2 longs piments rouges frais ciselés
4 petites tortillas coupées en triangles
1 petit avocat (200 g)
2 c. à s. de crème fraîche allégée

**1** Préchauffez le four à 200 °C ou 180 °C pour un four à chaleur tournante.
**2** Mélangez les tomates, les haricots, 50 g de coriandre, 1 cuillerée à soupe de jus de citron vert, la moitié de l'oignon et la moitié du piment dans un bol moyen.
**3** Disposez les triangles de tortillas en une seule couche sur une lèchefrite. Faites-les griller 5 minutes.
**4** Pour préparer le guacamole, écrasez l'avocat dans un bol et incorporez le reste de la coriandre, du jus, de l'oignon et du piment.
**5** Disposez les tortillas sur les assiettes et garnissez-les de haricots, de guacamole et de crème fraîche.

**à table** en 25 minutes
**pour** 4 personnes **par portion** 14 g de lipides (dont 3,7 g d'acides gras saturés) ; 364 cal ; 44,9 g de glucides ; 14,1 g de protéines ; 10,9 g de fibres

# Asperges grillées aux tomates

4 tomates moyennes (600 g), en petits dés
2 gousses d'ail pilées
180 ml de jus de citron
1 poignée de basilic frais ciselée
1 poignée de persil plat frais ciselé
500 g d'asperges parées
100 g de frisée
100 g de roquette

**1** Portez le jus de citron à ébullition dans une petite casserole avec l'ail et les tomates. Laissez mijoter 2 minutes sans couvrir. Ajoutez les herbes hors du feu.
**2** Faites dorer les asperges sur un gril chaud légèrement huilé jusqu'à ce qu'elles soient tendres.
**3** Dressez la frisée et la roquette sur une assiette, ajoutez les asperges et les tomates tièdes.

**à table** en 35 minutes
**pour** 4 personnes **par portion** 0,7 g de lipides (dont 0 g d'acides gras saturés) ; 65 cal ; 6,7 g de glucides ; 6,3 g de protéines ; 6,5 g de fibres

# Salade de nouilles soba au gingembre et aux légumes

20 g de wakame
100 g de nouilles soba
4 concombres libanais (520 g), coupés en bâtonnets
4 petites carottes (280 g), coupées en bâtonnets
50 g de graines de sésame grillées
4 oignons verts en tranches fines
20 g (4 cm) de gingembre frais râpé
1 c. à s. d'huile de sésame
180 ml de jus de citron vert
1 c. à s. de sauce de soja

**1** Mettez le wakame dans un bol, couvrez d'eau tiède et laissez reposer 10 minutes. Égouttez-le, éliminez les parties dures et hachez-le grossièrement.
**2** Faites cuire les nouilles soba dans une petite casserole d'eau bouillante, sans couvrir. Égouttez-les, passez-les sous l'eau froide puis égouttez-les à nouveau avant de les hacher grossièrement.
**3** Mélangez le wakame et les nouilles soba dans un saladier, ajoutez le reste des ingrédients et remuez délicatement.

**à table** en 30 minutes
**pour** 4 personnes **par portion** 12,2 g de lipides (dont 1,6 g d'acides gras saturés) ; 252 cal ; 23,7 g de glucides ; 8,2 g de protéines ; 7,9 g de fibres
**note** le wakame est une algue vendue séchée qu'on utilise au Japon dans les soupes, les salades et les assaisonnements. On le trouve dans la plupart des épiceries asiatiques. Les nouilles soba sont des nouilles japonaises à la farine de sarrasin.

# Salade au poulet fumé

400 g de blancs de poulet fumé
200 g de feuilles d'épinards
1 poivron jaune moyen (200 g), coupé en fines lanières
1 oignon rouge moyen (170 g), émincé
150 g de basilic violet frais
**vinaigrette**
2 c. à c. de zeste de citron vert finement râpé
60 ml de jus de citron vert
2 c. à s. de coriandre fraîche ciselée
2 petits piments thaïs rouges ciselés
2 c. à c. d'huile d'arachide
1 c. à c. de sucre en poudre

**1** Retirez et jetez la peau du poulet, puis coupez les blancs en tranches fines.
**2** Préparez la vinaigrette.
**3** Disposez le poulet dans un grand saladier avec les épinards, le poivron, l'oignon, le basilic et la vinaigrette. Remuez délicatement.
**vinaigrette** placez les ingrédients dans un bocal, fermez et secouez.

**à table** en 15 minutes
**pour** 8 personnes **par portion** 4,8 g de lipides (dont 1,2 g d'acides gras saturés) ; 111 cal ; 2,8 g de glucides ; 13,6 g de protéines ; 1,2 g de fibres
**note** le basilic violet est plus aromatique que le basilic vert. Le poulet fumé étant déjà cuit, cette salade simple peut se préparer au dernier moment. Vous pouvez conserver du poulet fumé au congélateur et le faire décongeler avant de le trancher.

légumes
+ graines

# Nasi goreng

Il est préférable de faire cuire le riz la veille pour qu'il soit ferme et légèrement croquant. Après la cuisson, étalez-le sur un grand plateau, couvrez-le et gardez-le au réfrigérateur jusqu'au moment de le cuisiner.

1 petit oignon brun (80 g) haché
2 gousses d'ail coupées en quatre
25 g (5 cm) de gingembre frais haché
2 piments de Cayenne frais, grossièrement coupés
1 c. à s. d'huile d'arachide
4 œufs légèrement battus
150 g de pleurotes en gros morceaux
1 poivron vert (200 g), coupé en morceaux
1 poivron rouge (200 g), coupé en morceaux
200 g de mini épis de maïs frais, en tronçons
800 g de riz au jasmin cuit
80 g de germes de soja
3 oignons verts émincés
2 c. à s. de sauce de soja
1 c. à s. de kacap manis

**1** Mixez l'oignon, l'ail, le gingembre et le piment pour obtenir un mélange homogène.
**2** Faites chauffer la moitié de l'huile dans un wok et faites cuire la moitié des œufs en omelette fine. Coupez ensuite l'omelette en larges bandes. Faites une seconde omelette avec le reste des œufs puis coupez-la en bandes.
**3** Dans le même wok, faites sauter le mélange aux oignons dans l'huile restante puis ajoutez les champignons, les poivrons et le maïs. Laissez cuire à feu vif en remuant jusqu'à ce qu'il soit juste tendre.
**4** Ajoutez le riz, les germes de soja, les oignons verts et les sauces. Réchauffez le tout à feu vif : les germes de soja et les oignons doivent rester croquants.
**5** Servez le nasi goreng garni de lanières d'omelette.

**à table** en 35 minutes
**pour** 4 personnes **par portion** 11,2 g de lipides (dont 2,5 g d'acides gras saturés) ; 441 cal ; 66,8 g de glucides ; 17,6 g de protéines ; 7,2 g de fibres

# Poêlée de légumes asiatiques aux champignons

2 c. à c. d'huile de sésame
2 c. à c. d'huile végétale
2 gousses d'ail pilées
3 blancs de citronnelle de 10 cm (60 g)
40 g (8 cm) de gingembre frais râpé
600 g de pleurotes en morceaux
600 g de champignons de Paris coupés en quatre
600 g de mini bok choy grossièrement haché
1 petit chou chinois (700 g) grossièrement haché

**1** Faites chauffer les deux huiles dans un wok et faites revenir l'ail, la citronnelle, le gingembre et les champignons. Ajoutez le bok choy et le chou chinois.
**2** Retirez le wok du feu quand les choux commencent à flétrir légèrement. Servez avec des quartiers de citron vert.

**à table** en 20 minutes
**pour** 4 personnes **par portion** 5,7 g de lipides (dont 0,6 g d'acides gras saturés) ; 157 cal ; 5,4 g de glucides ; 13,9 g de protéines ; 15,3 g de fibres

# Aubergines et salsa fresca

12 mini aubergines (720 g), coupées en deux dans la longueur
**salsa fresca**
2 poivrons verts (300 g), en petits dés
2 poivrons jaunes (300 g), en petits dés
4 petites tomates (360 g), épépinées et concassées
1 poignée de basilic frais ciselé
160 ml de jus de citron

**1** Faites cuire les aubergines sur un gril en fonte chaud légèrement huilé.
**2** Préparez la salsa fresca.
**3** Nappez les aubergines de salsa fresca puis servez aussitôt.
**salsa fresca** mélangez tous les ingrédients dans un saladier.

**à table** en 35 minutes
**pour** 4 personnes **par portion** 0,8 g de lipides (dont 0 g d'acides gras saturés) ; 69 cal ; 9,6 g de glucides ; 4,6 g de protéines ; 5,9 g de fibres

# Pasta primavera

375 g de penne
200 g de jeunes carottes coupées en quatre bâtons
350 g d'asperges, parées et coupées en tronçons de 4 cm
150 g de haricots mange-tout écossés et coupés en deux
120 g de petits pois surgelés
4 oignons verts ciselés
2 tomates olivettes moyennes (150 g), épépinées et coupées en petits dés
**vinaigrette au thym citronné et à la moutarde**
1 c. à s. de moutarde de Dijon
1 c. à s. de vinaigre de vin blanc
1 c. à s. de jus de citron
2 c. à s. d'eau
2 c. à s. de thym citronné ciselé
1 c. à s. d'huile d'olive

**1** Faites cuire les pâtes *al dente* dans une grande casserole d'eau bouillante, à découvert. Égouttez-les et rincez-les à l'eau froide.
**2** Dans le même temps, faites cuire séparément les carottes, les asperges, les haricots et les petits pois à l'eau bouillante, à la vapeur ou au micro-ondes. Égouttez-les et rincez-les à l'eau froide.
**3** Préparez la vinaigrette au thym citronné et à la moutarde.
**4** Disposez les pâtes et les légumes dans un grand plat avec les oignons verts, les tomates et la vinaigrette ; remuez délicatement.
**vinaigrette au thym citronné et à la moutarde** placez les ingrédients dans un bocal, fermez et secouez.

**à table** en 35 minutes
**pour** 4 personnes **par portion** 6,1 g de lipides (dont 0,8 g d'acides gras saturés) ; 418 cal ; 73,1 g de glucides ; 16,5 g de protéines ; 9 g de fibres

# Vermicelles sautés à la singapourienne

250 g de vermicelles de riz
4 œufs légèrement battus
2 c. à c. d'huile végétale
1 oignon brun moyen (150 g) coupé en grosses tranches
2 gousses d'ail pilées
10 g (2 cm) de gingembre frais râpé
150 g de pak choy coupé en lanières
200 g de haricots mange-tout coupés en deux
1 petit poivron rouge (150 g), coupé en gros morceaux
2 c. à s. de sauce de soja
2 c. à s. de sauce à l'huître
2 c. à s. de sauce chili douce
150 g de coriandre fraîche
240 g de germes de soja

**1** Disposez les vermicelles dans un grand bol résistant à la chaleur, recouvrez-les d'eau bouillante et laissez-les reposer pour les laisser ramollir, puis égouttez-les. À l'aide des ciseaux, coupez-les en tronçons de 10 cm.
**2** Faites chauffer légèrement le wok huilé ; versez la moitié des œufs et remuez le wok pour obtenir une omelette fine. Faites-la cuire à découvert jusqu'à ce qu'elle soit juste prise. Retirez l'omelette du wok, roulez-la et découpez-la en fines tranches. Recommencez avec les autres œufs.
**3** Faites chauffer de l'huile dans le wok et saisissez l'oignon. Ajoutez l'ail et le gingembre et poursuivez la cuisson 1 minute, en remuant. Incorporez le pak choy, les haricots mange-tout, le poivron et les sauces. Faites revenir, en remuant, jusqu'à ce que les légumes soient tendres.
**4** Disposez les vermicelles et les tranches d'omelette dans le wok avec la coriandre et les germes de soja ; remuez délicatement pour mélanger.

**à table** en 30 minutes
**pour** 4 personnes **par portion** 8,3 g de lipides (dont 2 g d'acides gras saturés) ; 350 cal ; 51,6 g de glucides ; 12,5 g de protéines ; 7,6 g de fibres

# Risotto aux artichauts

2 c. à c. d'huile d'olive
1 oignon brun moyen (150 g), émincé
3 gousses d'ail pilées
6 oignons verts émincés
400 g de riz doongara
180 ml de vin blanc sec
375 ml de bouillon de poulet
750 ml d'eau
400 g de cœurs d'artichauts en boîte, égouttés et coupés en tranches fines
40 g de parmesan finement râpé

**1** Faites chauffer l'huile dans une grande casserole. Faites revenir l'oignon, l'ail et la moitié des oignons verts en remuant jusqu'à ce que l'oignon brun soit tendre.
**2** Ajoutez le riz, le vin, le bouillon et l'eau, puis portez à ébullition. Réduisez le feu, couvrez et laissez frémir 15 minutes, en remuant de temps à autre.
**3** Incorporez les artichauts, le parmesan et le reste des oignons verts. Faites cuire environ 5 minutes en remuant pour réchauffer les artichauts.

**à table** en 35 minutes
**pour** 6 personnes **par portion** 4,5 g de lipides (dont 1,8 g d'acides gras saturés) ; 327 cal ; 55,7 g de glucides ; 9,2 g de protéines ; 2,6 g de fibres
**note** si l'arborio à grains ronds est l'ingrédient traditionnel du risotto, nous préférons utiliser ici du riz doongara à grains longs, en raison de son index glycémique plus faible et parce qu'il se prête mieux à ce type de cuisson où l'on verse tous les ingrédients liquides d'un coup.

# Légumes sautés

2 c. à c. d'huile de sésame
400 g de shiitake frais coupés en tranches épaisses
4 carottes moyennes (480 g) coupées en tranches fines
180 ml d'eau
400 g de brocolis coupés en tranches fines
300 g de haricots mange-tout écossés et coupés en tronçons
80 ml de tamari
4 oignons verts ciselés

**1** Faites chauffer l'huile dans le wok et saisissez les champignons et les carottes 2 minutes. Versez l'eau et poursuivez la cuisson à feu vif 5 minutes. Une fois les carottes cuites, ajoutez les brocolis et les haricots mange-tout. Faites-les sauter et incorporez le tamari.
**2** Saupoudrez d'oignons verts puis servez.

**à table** en 25 minutes
**pour** 4 personnes **par portion** 5,4 g de lipides (dont 0,8 g d'acides gras saturés) ; 186 cal ; 23,7 g de glucides ; 10,8 g de protéines ; 11,7 g de fibres

# Légumes grillés

4 petits bulbes de fenouil (520 g)
4 tomates olivettes (300 g) coupées en deux dans la longueur
2 poivrons rouges (300 g) coupées en lanières
2 courgettes (240 g), coupées en tranches dans la longueur
4 petites aubergines (240 g), coupées en rondelles
vaporisateur à huile
1 poignée de persil plat haché
80 ml de jus de citron
1 c. à s. d'huile d'olive

**1** Préchauffez le four à 200 °C ou à 180 °C pour un four à chaleur tournante.
**2** Réservez les feuilles de fenouil. Coupez le bulbe en fines lamelles.
**3** Disposez les légumes sur une plaque de cuisson légèrement huilée. Vaporisez un peu d'huile dessus et faites-les rôtir 20 minutes sans couvrir. Ajoutez la moitié de persil.
**4** Dressez les légumes grillés sur une assiette. Nappez-les d'huile et de jus de citron mélangés. Pour servir, saupoudrez-les du persil restant et des feuilles de fenouil ciselées.

**à table** en 35 minutes
**pour** 4 personnes **par portion** 7,2 g de lipides (dont 0,8 g d'acides gras saturés) ; 123 cal ; 9,7 g de glucides ; 4,1 g de protéines ; 6,5 g de fibres

# Couscous à la feta et aux légumes à la vapeur

Il vous faudra la moitié d'une courge musquée pour cette recette.

600 g de courge musquée coupée en gros morceaux
2 petites courgettes vertes (180 g) coupées en morceaux
2 petites courgettes jaunes (180 g) coupées en morceaux
300 g d'épinards épluchés et ciselés
500 ml de bouillon de légumes
400 g de couscous
60 ml de jus de citron
50 g de basilic frais ciselé
200 g de feta allégée, émiettée
50 g de zeste de citron confit, finement râpé
6 oignons verts émincés

**1** Faites cuire la courge, les courgettes et les épinards séparément à l'eau bouillante, à la vapeur ou au micro-ondes ; égouttez-les.
**2** Portez le bouillon à ébullition dans une grande casserole. Ajoutez le couscous, ôtez du feu et couvrez. Laissez reposer 5 minutes pour que la graine absorbe tout le liquide et mélangez avec une fourchette de temps en temps.
**3** Disposez le couscous et les légumes dans un grand plat creux ajoutez le reste des ingrédients ; remuez délicatement.

**à table** en 30 minutes
**pour** 4 personnes **par portion** 9,3 g de lipides (dont 5,4 g d'acides gras saturés) ; 585 cal ; 88,7 g de glucides ; 32,2 g de protéines ; 6 g de fibres
**note** le citron confit, une spécialité nord-africaine, est conservé dans du sel et du jus de citron. Pour l'utiliser, enlevez et jetez la pulpe, pressez le zeste pour en extraire le jus et rincez-le. Cet aliment est vendu en pots ou en vrac dans les épiceries fines et se conserve au frais.

# Sukiyaki végétarien

440 g de nouilles udon fraîches
8 champignons shiitake frais
4 oignons de printemps coupés en tronçons de 3 cm
100 g de pousses d'épinards
230 g de pousses de bambou en boîte, égouttées
350 g de chou chinois grossièrement coupé
100 g de champignons enoki
1 blanc de poireau (200 g) coupé en morceaux
2 carottes (240 g) coupées en grosses rondelles
350 g de tofu ferme coupé en dés de 2 cm
4 œufs
**bouillon**
250 ml de sauce de soja
125 ml de saké de cuisine
25 ml de mirin
110 g de sucre en poudre
250 ml d'eau

**1** Rincez les nouilles sous l'eau chaude, égouttez-les puis coupez-les en morceaux.
**2** Préparez le bouillon en faisant chauffer à feu moyen la sauce de soja, le saké, le mirin, le sucre et l'eau. Laissez tiédir.
**3** Débarrassez les shiitake de leurs pieds. Incisez les chapeaux en croix.
**4** Cassez les œufs un à un dans des bols séparés et battez-les légèrement. Versez le bouillon dans le caquelon à fondue, placez-le au centre de la table et réchauffez-le. Pour déguster le sukiyaki, on fait cuire les ingrédients un à un dans le bouillon avant de les tremper dans l'œuf battu. Le bouillon doit donc rester chaud tout le temps que dure le repas.

**à table** en 30 minutes
**pour** 4 personnes **par portion** 11,9 g de lipides (dont 2,5 g d'acides gras saturés) ; 534 cal ; 65,8 g de glucides ; 29 g de protéines ; 9,4 g de fibres
**conseil** pour cette recette, utilisez un service à fondue ou une friteuse électrique. Les ingrédients de sukiyaki se cuisent au fur et à mesure car ils ne doivent pas refroidir. Quand le sukiyaki est terminé, on mélange le bouillon et les œufs restants pour assaisonner le riz vapeur qui clôt traditionnellement le repas.

# Tofu sauté aux légumes

2 c. à s. d'huile de sésame
400 g de tofu ferme, coupé en morceaux de 1 cm
4 petits poivrons rouges (600 g) coupés en lanières
1,2 kg de mini bok choy haché
2 tiges de citronnelle de 10 cm hachées
2 gousses d'ail écrasées
1 grosse poignée de feuilles de coriandre fraîche

**1** Faites chauffer l'huile dans un wok et faites revenir le tofu, les poivrons, le bok choy, la citronnelle et l'ail. Quand ils sont juste tendres, ajoutez la coriandre.
**2** Servez sans attendre avec des quartiers de citron.

**à table** en 20 minutes
**pour** 4 personnes **par portion** 12,4 g de lipides (dont 1,7 g d'acides gras saturés) ; 221 cal ; 9,7 g de glucides ; 17,7 g de protéines ; 8,2 g de fibres

# poissons
# + fruits de mer

# Barbue pochée et salade aux herbes

3 litres d'eau
4 gousses d'ail pilées
100 g (20 cm) de gingembre frais en tranches fines
8 filets de barbue
2 citrons verts coupés en quartiers
**salade aux herbes**
1 grosse poignée de feuilles de menthe fraîche
1 grosse poignée de feuilles de coriandre fraîche
1 grosse poignée de feuilles de basilic déchirées
2 petits oignons rouges coupés en fines lanières
4 concombres libanais (200 g), épépinés et coupés en tranches
80 ml de jus de citron
20 g (4 cm) de gingembre frais râpé

**1** Versez l'eau dans une casserole, ajoutez l'ail et le gingembre puis portez à ébullition. Déposez le poisson dans l'eau, réduisez le feu aussitôt et laissez pocher 5 minutes environ. Retirez-le du bouillon à l'aide d'une écumoire.
**2** Préparez la salade aux herbes.
**3** Servez le poisson avec la salade et des quartiers de citron vert.
**salade aux herbes** mélangez tous les ingrédients dans un saladier.

**à table** en 35 minutes
**pour** 4 personnes **par portion** 3 g de lipides (dont 1 g d'acides gras saturés) ; 269 cal ; 8,3 g de glucides ; 49,6 g de protéines ; 6,6 g de fibres
**conseil** vous pouvez utiliser pour cette recette un autre poisson blanc à chair ferme (colin, cabillaud, vivaneau…).

# Saint-Jacques grillées et sauce aux agrumes

32 noix de Saint-Jacques (800 g), sans leur corail
1 petit pamplemousse rose (350 g), coupé en petits morceaux
1 grosse orange (300 g), coupée en petits quartiers
1 citron vert détaillé en petits quartiers
1 petite mangue (300 g), coupée en dés
30 g de basilic thaï ciselé
30 g de menthe fraîche ciselée
**sauce aux agrumes**
2 c. à s. de mirin
1 c. à s. de jus d'orange
1 c. à s. de jus de citron
1 c. à s. d'huile d'olive
1 c. à c. de zeste de citron vert finement râpé

**1** Faites dorer les noix de Saint-Jacques sur les deux faces, dans une poêle à griller huilée (ou au gril, ou au barbecue) en procédant en plusieurs tournées.
**2** Préparez la sauce aux agrumes.
**3** Disposez les fruits et les herbes dans un bol moyen avec la moitié de la sauce ; remuez pour mélanger.
**4** Servez les Saint-Jacques avec la salade de fruits aux herbes et agrémentez de la sauce aux agrumes.
**sauce aux agrumes** placez les ingrédients dans un bocal, fermez et secouez.

**à table** en 25 minutes
**pour** 4 personnes **par portion** 6,2 g de lipides (dont 1 g d'acides gras saturés) ; 200 cal ; 9,2 g de glucides ; 24,5 g de protéines ; 1,7 g de fibres

# Calamars teppanyaki

300 g de riz à grains moyens
750 ml d'eau
1 kg de calamars
1 c. à s. d'huile d'arachide
1 petit piment thaï rouge ciselé
1 c. à c. de zeste de citron finement râpé
1 gousse d'ail pilée
2 c. à s. de gingembre rose au vinaigre, en fines tranches
6 oignons verts ciselés
2 concombres libanais (260 g), épépinés et coupés en dés
3 petits piments thaïs rouges ciselés, supplémentaires
**sauce au soja et au citron**
60 ml de vinaigre de riz
1 c. à s. de sucre en poudre
1 c. à s. de sauce de soja japonaise
1 c. à c. de zeste de citron finement râpé

**1** Versez le riz et l'eau dans une casserole moyenne à fond épais. Couvrez et portez à ébullition en remuant. Réduisez le feu et laissez frémir 10 minutes à couvert. Retirez du feu et laissez reposer 5 minutes.
**2** Mélangez les calamars avec l'huile, le piment, le zeste de citron et l'ail dans un grand bol. Faites cuire les calamars dans une poêle à griller huilée, à découvert.
**3** Préparez la sauce au soja et au citron.
**4** Disposez le riz et les calamars sur les assiettes de service, ainsi que le gingembre, les oignons verts, les concombres et les piments supplémentaires. Servez avec des soucoupes remplies de sauce.
**sauce au soja et au citron** faites chauffer le vinaigre, le sucre et la sauce de soja dans une petite casserole et remuez pour dissoudre le sucre. Retirez du feu et ajoutez le zeste de citron.

**à table** en 30 minutes
**pour** 4 personnes **par portion** 8 g de lipides (dont 1,9 g d'acides gras saturés) ; 533 cal ; 65,4 g de glucides ; 47,5 g de protéines ; 1,7 g de fibres
**note** « teppanyaki » désigne un type de cuisson traditionnelle au Japon, où les aliments sont cuits sur une plaque chauffante brûlante, posée sur la table ou à côté.

# Dorade grillée à la sauce tomate épicée

2 c. à s. d'huile d'olive
3 gousses d'ail pilées
3 échalotes (75 g) finement hachées
425 g de tomates concassées en boîte
1 c. à s. de xérès sec
1 c. à s. de sauce de soja
1 c. à c. de sambal oelek
2 c. à c. de sucre blanc
4 filets de dorade de 200 g chacun
75 g de pousses d'épinards
2 c. à c. de vinaigre de vin rouge

**1** Faites chauffer la moitié de l'huile dans une petite poêle pour y faire revenir l'ail et les échalotes 1 minute. Ajoutez les tomates avec leur jus, le xérès, la sauce de soja, le sambal oelek et le sucre. Portez à ébullition puis réduisez le feu et laissez frémir 10 minutes sans couvrir pour que le liquide réduise de moitié.
**2** Pendant ce temps, faites dorer le poisson 10 minutes dans une grande poêle chaude légèrement huilée.
**3** Mettez les pousses d'épinards dans un saladier avec le vinaigre et le reste de l'huile et mélangez délicatement. Servez le poisson nappé de sauce. Disposez sur la même assiette la salade d'épinards.

**à table** en 30 minutes
**pour** 4 personnes **par portion** 12,7 g de lipides (dont 2,5 g d'acides gras saturés) ; 317 cal ; 42,5 g de protéines ; 2,3 g de fibres

# Moules au safran, piment et coriandre

180 ml de vin blanc sec
¼ de c. à c. de filaments de safran
1 c. à s. de nuoc-mâm
2 c. à c. de zeste de citron vert râpé
2 kg de moules moyennes
1 c. à s. d'huile d'arachide
25 g (5 cm) de gingembre frais râpé
2 gousses d'ail pilées
3 petits piments rouges émincés
1 poignée de feuilles de coriandre fraîche

**1** Portez le vin à ébullition dans une petite casserole. Ajoutez le safran, le nuoc-mâm et le zeste de citron. Laissez reposer 10 minutes hors du feu.
**2** Grattez les moules et ôtez les barbes.
**3** Faites chauffer l'huile dans une cocotte pour y faire revenir le gingembre, l'ail et le piment. Quand le mélange embaume, ajoutez le vin au safran puis les moules. Couvrez. Dès les premiers bouillons, baissez le feu et laissez chauffer 5 minutes environ, en agitant régulièrement la cocotte pour faire ouvrir les moules.
**4** Laissez refroidir les moules quelques instants puis jetez toutes celles qui sont restées fermées. Répartissez le reste dans de grands bols. Décorez de coriandre fraîche et servez sans attendre.

**à table** en 35 minutes
**pour** 6 personnes **par portion** 1,3 g de lipides (dont 0,9 g d'acides gras saturés) ; 108 cal ; 3,8 g de glucides ; 8,4 g de protéines ; 0,6 g de fibres

# Salade pimentée aux crevettes grillées et à l'ananas

1,5 kg de grosses crevettes crues
1 gousse d'ail pilée
10 g (2 cm) de gingembre frais râpé
4 oignons verts émincés
1 c. à c. d'huile de sésame
**salade pimentée à l'ananas**
1 petit ananas (800 g)
2 mangues moyennes (860 g)
30 g de cacahuètes grillées et concassées
1 piment rouge long, émincé
2 oignons verts émincés
1 c. à s. de menthe vietnamienne ciselée
30 g de coriandre fraîche ciselée
2 c. à s. de jus de citron vert
1 c. à s. de nuoc-mâm
2 c. à s. de sucre en poudre

**1** Préparez la salade pimentée à l'ananas.
**2** Décortiquez les crevettes et retirez le fil noir, en laissant les queues. Mélangez-les avec l'ail, le gingembre et les oignons verts dans un grand bol.
**3** Faites chauffer l'huile dans un wok. Saisissez les crevettes jusqu'à ce qu'elles changent de couleur.
**4** Disposez la salade sur les assiettes et garnissez-la de gambas.
**salade pimentée à l'ananas** coupez l'ananas et les mangues en fines tranches, puis en bâtonnets de 5 mm de largeur. Disposez les fruits dans un grand saladier avec les cacahuètes, le piment, les oignons verts et les herbes. Versez le jus de citron, le nuoc-mâm et le sucre dans un bocal, fermez et secouez. Assaisonnez la salade et remuez-la.

**à table** en 35 minutes
**pour** 4 personnes **par portion** 9,8 g de lipides (dont 1,4 g d'acides gras saturés) ; 404 cal ; 31,6 g de glucides ; 43,7 g de protéines ; 5,7 g de fibres

# Hamburgers de poissons à la thaïe et salade verte aigre-douce

500 g de filets de perche coupés en morceaux
1 c. à s. de nuoc-mâm
1 c. à s. de kecap manis
1 gousse d'ail pilée
1 petit piment thaï rouge coupé en quatre
50 g de haricots verts écossés et coupés en gros morceaux
15 g de noix de coco râpée
30 g de coriandre fraîche ciselée
½ pain turc (215 g)
80 ml de sauce chili douce
**salade verte aigre-douce**
1 petite laitue iceberg ciselée (120 g)
40 g de germes de haricots mange-tout coupés en gros morceaux
1 concombre (400 g), épépiné et coupé en fines tranches
2 c. à s. de jus de citron vert
1 c. à s. de nuoc-mâm
1 c. à s. de sucre roux

**1** Mixez les filets, le nuoc-mâm, le kecap manis, l'ail et le piment pour obtenir une pâte lisse. Versez-la dans un grand bol avec les haricots, la noix de coco et la coriandre. Mélangez à la main, puis façonnez 4 hamburgers.
**2** Faites-les cuire 15 minutes à couvert, dans une poêle à griller huilée.
**3** Pendant ce temps, préparez la salade verte aigre-douce.
**4** Coupez le pain en deux, puis en deux moitiés horizontales. Passez-le au gril, le côté coupé vers le haut. Posez une tranche sur chaque assiette et garnissez-la de salade, de poisson et de sauce chili.
**salade verte aigre-douce** versez les ingrédients dans un saladier de taille moyenne et remuez.

**à table** en 35 minutes
**pour** 4 personnes **par portion** 7,8 g de lipides (dont 3,4 g d'acides gras saturés) ; 364 cal ; 36,5 g de glucides ; 33,7 g de protéines ; 5,3 g de fibres
**conseil** nous avons utilisé ici des filets de perche, mais vous pouvez les remplacer par tout type de poisson blanc ferme qui vous convient.

# Crevettes grillées aux fruits tropicaux

24 gambas crues (1,6 kg)
¼ d'ananas moyen (300 g) coupé en dés
1 grosse mangue assez ferme (600 g) coupée en gros morceaux
1 grosse banane assez ferme (230 g) coupée en gros morceaux
30 g de menthe fraîche
2 c. à s. de jus de citron vert
**sauce aux herbes**
75 g de feuilles de menthe fraîche
75 g de feuilles de persil plat
1 gousse d'ail en quartiers
2 c. à s. de jus de citron vert
1 c. à s. d'huile d'olive

**1** Faites griller les gambas dans une poêle à griller (ou au gril, ou au barbecue) jusqu'à ce qu'elles changent de couleur et soient bien cuites.
**2** Faites brunir légèrement les fruits dans la même poêle.
**3** Préparez la sauce aux herbes.
**4** Mélangez les gambas et les fruits dans un grand saladier avec la menthe et le jus de citron vert. Répartissez sur les assiettes de service et versez la sauce en filet.
**sauce aux herbes** mixez bien tous les ingrédients.

**à table** en 30 minutes
**pour** 4 personnes **par portion** 6,2 g de lipides (dont 0,9 g d'acides gras saturés) ; 343 cal ; 25 g de glucides ; 43,8 g de protéines ; 4,5 g de fibres

# Noix de Saint-Jacques grillées et sauce à la papaye

800 g de papaye ferme coupée en gros morceaux
2 tomates moyennes (380 g), épépinées et coupées en dés
1 oignon rouge moyen (170 g) coupé en morceaux
60 ml de jus de citron vert
1 petit piment thaï rouge ciselé
2 c. à s. de coriandre fraîche ciselée
1 c. à s. d'huile végétale
36 noix de Saint-Jacques avec leur corail
sauce chili

**1** Mélangez la papaye, les tomates, l'oignon, le jus de citron vert, le piment, la coriandre et l'huile dans un grand saladier.
**2** Faites dorer les noix de Saint-Jacques sur les deux faces dans une poêle à griller huilée. Procédez en plusieurs tournées.
**3** Servez la salade de papaye garnie de coquilles Saint-Jacques et accompagnée de sauce chili douce, selon vos goûts.

**à table** en 25 minutes
**pour** 4 personnes **par portion** 6,4 g de lipides (dont 1 g d'acides gras saturés) ; 235 cal ; 14,1 g de glucides ; 27,8 g de protéines ; 4,2 g de fibres

# Brème en papillote au gingembre

4 brèmes entières de 250 g chacune, nettoyées
60 g (12 cm) de gingembre frais en allumettes
4 oignons verts en tranches fines
4 petites carottes coupées en julienne (280 g)
80 ml de tamari
1 c. à s. d'huile de sésame

**1** Préchauffez le four à 200 °C ou à 180 °C pour un four à chaleur tournante.
**2** Huilez légèrement 4 grandes feuilles de papier d'aluminium et disposez les brèmes dessus après les avoir farcies avec la moitié des légumes. Badigeonnez-les d'huile et de sauce de soja. Recouvrez-les avec le reste des légumes.
**3** Fermez les papillotes et posez-les sur une plaque de cuisson. Passez-les au four 15 minutes environ.
**4** Pour servir, vous pouvez garnir le poisson de feuilles de coriandre fraîches.

**à table** en 20 minutes
**pour** 4 personnes **par portion** 15,5 g de lipides (dont 3 g d'acides gras saturés) ; 239 cal ; 5 g de glucides ; 27,8 g de protéines ; 2,4 g de fibres
**conseil** nous avons utilisé de la brème pour cette recette, mais tout autre poisson blanc à chair ferme conviendra aussi bien.

# Petits poulpes sautés au basilic

1 kg de petits poulpes nettoyés
2 c. à c. d'huile d'arachide
2 c. à c. d'huile de sésame
2 gousses d'ail pilées
2 petits piments thaïs rouges, ciselés
2 gros poivrons (700 g) coupés en lanières
6 oignons verts coupés en morceaux de 2 cm
40 g de feuilles de basilic frais
400 g de tatsoi
2 c. à s. de sucre de palme râpé
60 ml de nuoc-mâm
1 c. à s. de kecap manis
120 g de feuilles de coriandre fraîche

**1** Coupez chaque poulpe en deux dans la longueur.
**2** Faites chauffer l'huile d'arachide dans un wok. Procédez en plusieurs tournées pour faire sauter les poulpes qui doivent être bien dorés sur toutes les faces et tendres. Couvrez-les pour les garder au chaud.
**3** Faites chauffer l'huile de sésame dans le wok, puis saisissez l'ail, les piments et les poivrons qui doivent être tout juste cuits. Transférez les poulpes dans le wok avec les oignons, le basilic, le tatsoi, le sucre et les sauces. Faites sauter jusqu'à ce que le tatsoi commence à flétrir. Retirez du feu et parsemez de coriandre.

**à table** en 30 minutes
**pour** 4 personnes **par portion** 10,2 g de lipides (dont 1,7 g d'acides gras saturés) ; 459 cal ; 18,7 g de glucides ; 70,4 g de protéines ; 4,1 g de fibres

# Papillotes de truites de mer

4 filets de truite de mer de 250 g
2 c. à s. de jus de citron
1 c. à s. de câpres égouttées et coupées en morceaux
2 c. à s. d'aneth frais ciselé
1,2 kg de pommes de terre nouvelles coupées en tranches épaisses

**1** Préchauffez le four à 200 °C ou à 180 °C pour un four à chaleur tournante.
**2** Déposez chaque filet sur une feuille d'aluminium carrée, assez grande pour bien envelopper le poisson. Garnissez chaque filet de quantités égales de jus de citron, de câpres et d'aneth. Repliez les coins de la feuille sur le poisson et tordez-les pour fermer hermétiquement les papillotes.
**3** Disposez-les sur une lèchefrite et faites-les cuire environ 15 minutes.
**4** Pendant ce temps, faites cuire les pommes de terre à l'eau bouillante, à la vapeur ou au micro-ondes.
**5** Juste avant de servir, défaites les papillotes et retirez les feuilles d'aluminium. Servez les truites avec les pommes de terre.

**à table** en 25 minutes
**pour** 4 personnes **par portion** 9,4 g de lipides (dont 2,2 g d'acides gras saturés) ; 444 cal ; 34 g de glucides ; 52,8 g de protéines ; 4,1 g de fibres

# Risotto aux crevettes et aux petits pois

600 g de grosses crevettes cuites
20 g de beurre
1 petit poireau (200 g) émincé
2 gousses d'ail pilées
8 filaments de safran
400 g de riz arborio
500 ml d'eau bouillante
250 ml de vin blanc sec
375 ml de bouillon de poisson
160 g de petits pois surgelés
2 c. à s. de ciboulette émincée
60 ml de jus de citron
30 g de beurre

**1** Décortiquez les crevettes et retirez le fil noir, en laissant les queues intactes.
**2** Disposez le beurre, le poireau, l'ail et le safran dans une grande terrine pour cuisson au micro-ondes. Couvrez et faites cuire au micro-ondes à puissance maximale, pendant environ 2 minutes, pour que le poireau soit tendre. Versez le riz dans la terrine et poursuivez la cuisson 1 minute à puissance maximale, à couvert. Ajoutez l'eau, le vin et le bouillon. Faites cuire à puissance maximale, à couvert, pendant 15 minutes, en arrêtant trois fois la cuisson pour remuer.
**3** Placez les petits pois et les crevettes dans la terrine (réservez-en quelques-unes pour garnir, si nécessaire). Faites cuire 3 minutes à puissance maximale, à couvert. Incorporez la ciboulette, le jus de citron et le beurre.

**à table** en 30 minutes
**pour** 4 personnes **par portion** 11,7 g de lipides (dont 7 g d'acides gras saturés) ; 601 cal ; 84 g de glucides ; 26,4 g de protéines ; 4,3 g de fibres

# Espadon en croûte de poivre et salade de haricots et de pommes de terre

300 g de pommes de terre rouges, coupées en deux
1 c. à c. de poivre blanc moulu
2 c. à c. de poivre noir broyé
35 g de chapelure
4 filets d'espadon de 200 g
200 g de haricots verts
200 g de haricots beurre
60 ml de jus de citron vert
1 c. à s. d'huile d'olive
1 gousse d'ail pilée

**1** Faites cuire les pommes de terre à l'eau bouillante, à la vapeur ou au micro-ondes. Quand elles sont justes cuites, égouttez-les et couvrez-les pour les garder au chaud.
**2** Mélangez les deux poivres et la chapelure dans un petit bol. Enduisez une face de chaque filet de ce mélange. Faites cuire les poissons sur le côté enduit de chapelure dans une grande poêle huilée pour obtenir une croûte dorée. Retournez-les et faites-les dorer légèrement de l'autre côté, jusqu'à la cuisson désirée.
**3** Pendant ce temps, faites cuire les haricots à l'eau bouillante, à la vapeur ou au micro-ondes, puis égouttez-les.
**4** Placez le jus de citron vert, l'huile et l'ail dans un bocal, fermez et secouez.
**5** Transférez les pommes de terre et les haricots dans un grand bol avec la vinaigrette, puis remuez. Proposez la salade pour accompagner le poisson.

**à table** en 30 minutes
**pour** 4 personnes **par portion** 9,6 g de lipides (dont 2,1 g d'acides gras saturés) ; 347 cal ; 16,8 g de glucides ; 45,9 g de protéines ; 4,2 g de fibres

# Sashimi

½ concombre libanais (65 g), épépiné
½ avocat moyen (125 g)
400 g de saumon pour sashimi
1 c. à c. de pâte wasabi
4 oignons verts coupés en quatre dans la longueur
1 feuille d'algue grillée (yaki-nori), coupée en lamelles
2 c. à c. de graines de sésame grillées
2 c. à s. de sauce de soja japonaise

**1** Coupez l'avocat et le concombre en lanières.
**2** Découpez le saumon en 32 tranches minces.
**3** Disposez 16 tranches de saumon sur le plat de service, et enduisez-les d'un peu de wasabi, puis garnissez-les de concombre, d'avocat et d'oignon. Recouvrez chaque sashimi d'une tranche de saumon.
**4** Entourez chaque sashimi d'une bande d'algue et parsemez de graines de sésame. Proposez de la sauce de soja pour tremper les sashimis.

**à table** en 30 minutes
**pour** 16 personnes **par sashimi** 3,2 g de lipides (dont 0,7 g d'acides gras saturés) ; 51 cal ; 0,3 g de glucides ; 5,3 g de protéines ; 0,3 g de fibres
**conseils** prenez des ciseaux pour découper les algues en rubans. Choisissez des poissons de qualité sashimi les plus frais possibles. La manipulation et le traitement du saumon de qualité sashimi doivent se plier à des règles très strictes. Nous vous suggérons de vous renseigner sur le règlement en vigueur dans votre région avant de consommer du poisson cru.

# Thon grillé aux nouilles soba froides

200 g de nouilles soba sèches
60 ml de mirin
2 c. à s. de kecap manis
1 c. à s. de saké de cuisine
2 c. à c. de sucre en poudre
25 g (5 cm) de gingembre frais râpé
1 gousse d'ail pilée
4 steaks de thon de 200 g chacun
1 feuille d'algue grillée (yaki nori) finement ciselée
2 oignons verts finement hachés
1 c. à c. d'huile de sésame
2 c. à s. de gingembre mariné émincé

**1** Faites cuire les nouilles dans une grande casserole d'eau bouillante puis égouttez-les, rincez-les sous l'eau froide et égouttez-les de nouveau. Mettez-les dans un saladier, couvrez et réservez au frais.
**2** Mélangez le mirin, le kecap manis, le saké, le sucre, le gingembre et l'ail dans un bol.
**3** Faites cuire le poisson dans une grande poêle légèrement huilée en le saisissant au maximum 1 minute de chaque côté pour qu'il ne soit pas trop cuit (le thon est meilleur mi-cuit). Versez la sauce au mirin dans la poêle et inclinez cette dernière en tous sens pour que le liquide s'étale bien. Retournez les pavés de thon puis sortez-les de la poêle et couvrez-les pour les garder au chaud.
**4** Portez à ébullition la sauce dans la poêle avant de la laisser frémir 30 secondes. Passez-la dans un tamis fin.
**5** Mélangez le yaki nori, les oignons, l'huile de sésame et le gingembre mariné dans un saladier avec les nouilles. Présentez les pavés de thon sur une assiette, nappez-les de sauce chaude et garnissez-les de salade de nouilles.

**à table** en 20 minutes
**pour** 4 personnes **par portion** 13,2 g de lipides (dont 4,9 g d'acides gras saturés) ; 522 cal ; 41,9 g de glucides ; 56,3 g de protéines ; 2,6 g de fibres

# Salade de gambas et de Saint-Jacques aux asperges et au gingembre

400 g de gambas crues de taille moyenne
400 g de noix de Saint-Jacques
250 g d'asperges épluchées et coupées en deux
50 g de ciboulette ciselée
120 g de petites feuilles d'épinards
1 gros poivron rouge (350 g) coupé en morceaux
**vinaigrette au gingembre**
25 g (5 cm) de gingembre frais râpé
1 c. à s. d'huile d'olive
2 c. à s. de jus de citron
1 c. à c. de sucre en poudre

**1** Décortiquez les gambas, retirez le fil noir et laissez les queues intactes.
**2** Faites cuire les gambas, les Saint-Jacques et les asperges dans une poêle à griller (ou au gril, ou au barbecue), selon la cuisson désirée. Procédez en plusieurs tournées.
**3** Préparez la vinaigrette au gingembre.
**4** Disposez les gambas, les Saint-Jacques et les asperges dans un grand saladier avec la ciboulette, les épinards, le poivron et la vinaigrette, puis remuez délicatement.
**vinaigrette au gingembre** pressez le gingembre entre deux cuillères au-dessus d'un grand bol pour en extraire le jus. Ôtez les fibres. Ajoutez l'huile, le jus de citron et le sucre en battant pour mélanger.

**à table** en 35 minutes
**pour** 4 personnes **par portion** 5,9 g de lipides (dont 0,9 g d'acides gras saturés) ; 182 cal ; 5,9 g de glucides ; 24,9 g de protéines ; 2,5 g de fibres

# Poisson grillé à la thaïlandaise

100 g de pousses de pois gourmands
1 poignée de feuilles de menthe
1 petite poignée de feuilles de coriandre
3 échalotes (75 g) émincées
2 piments longs rouges émincés
4 pavés de poisson à chair blanche de 200 g chacun
**sauce thaïe**
80 ml de jus de citron vert
2 c. à s. de sucre de palme râpé
1 c. à s. de nuoc-mâm

**1** Dans un saladier, mélangez les pousses de pois gourmands, la menthe, la coriandre, les échalotes et les piments.
**2** Faites cuire les pavés de poisson sur un gril en fonte légèrement huilé.
**3** Pendant ce temps, préparez la sauce thaïe.
**4** Quand le poisson est cuit, présentez-le sur des assiettes plates avec la salade de pois gourmands. Nappez de sauce et servez.
**sauce thaïe** mélangez le jus de citron vert, le sucre de palme et le nuoc-mâm dans un bol.

**à table** en 20 minutes
**pour** 4 personnes **par portion** 1,6 g de lipides (dont 0,3 g d'acides gras saturés) ; 217 cal ; 13 g de glucides ; 36,8 g de protéines ; 2,6 g de fibres

# Crevettes sautées aux nouilles et au citron vert

650 g de grosses crevettes crues
375 g de nouilles de riz épaisses
1 c. à s. d'huile de sésame
2 gousses d'ail pilées
10 g (2 cm) de gingembre frais râpé
2 piments rouges épépinés et coupés en tranches fines
250 g de brocolini coupés en quatre
80 ml de jus de citron vert
60 ml de sauce de soja claire
2 c. à c. de nuoc-mâm
4 oignons verts émincés
2 c. à s. de menthe fraîche hachée

**1** Décortiquez les crevettes en ôtant la veine centrale et en laissant les queues intactes.
**2** Dans un saladier résistant à la chaleur, couvrez les nouilles d'eau bouillante. Laissez reposer jusqu'à ce qu'elles soient juste tendres. Égouttez-les.
**3** Faites chauffer l'huile dans le wok et faites revenir l'ail, le gingembre et le piment jusqu'à ce que le mélange embaume. Ajoutez les brocolini. Incorporez les crevettes et faites-les cuire jusqu'à ce qu'elles changent de couleur. Ajoutez les nouilles et le reste des ingrédients. Faites revenir à feu vif pour réchauffer le tout.

**à table** en 30 minutes
**pour** 4 personnes **par portion** 6,4 g de lipides (dont 0,7 g d'acides gras saturés) ; 382 cal ; 52,2 g de glucides ; 25,8 g de protéines ; 4,5 g de fibres

# Calamars farcis à la truite fumée et au basilic

1 petit oignon rouge (100 g)
300 g de truite fumée grossièrement hachée
1 bouquet de basilic frais grossièrement ciselé
8 petits corps de calamars vidés et nettoyés
100 g de roquette
1 poignée de feuilles de persil plat frais
1 bouquet de menthe fraîche grossièrement ciselée
60 ml de vinaigre de vin blanc
1 c. à s. d'huile d'olive
2 citrons verts détaillés en huit quartiers

**1** Émincez la moitié de l'oignon et hachez grossièrement l'autre moitié.
**2** Mélangez l'oignon haché, la truite fumée et la moitié du basilic puis farcissez-en les corps des calamars jusqu'à 2 cm du bord environ. Fermez avec une pique en bois.
**3** Faites cuire les calamars dans une grande poêle chaude légèrement huilée. Ils doivent être dorés et tendres.
**4** Mettez dans un saladier la roquette, le persil, la menthe, l'oignon émincé et le reste du basilic. Versez dessus l'huile et le vinaigre mélangés puis remuez délicatement.
**5** Découpez les calamars en deux puis disposez-les sur les assiettes. Garnissez de salade et de quartiers de citron.

**à table** en 30 minutes
**pour** 4 personnes **par portion** 10,3 g de lipides (dont 2,1 g d'acides gras saturés) ; 277 cal ; 2,6 g de glucides ; 41,7 g de protéines ; 3 g de fibres

# Vivaneaux à peau croustillante et légumes sautés

½ c. à c. de sel
1 c. à c. de poivre noir broyé
4 filets de vivaneau de 200 g
1 c. à c. d'huile de sésame
1 gros oignon brun (200 g) coupé en quartiers fins
1 gousse d'ail pilée
5 g (1 cm) de gingembre frais râpé
1 c. à s. de haricots noirs salés, rincés et égouttés
1 poivron vert moyen (200 g) coupé en gros morceaux
1 poivron rouge moyen (200 g) coupé en gros morceaux
6 oignons verts coupés en grosses tranches
100 g de haricots mange-tout
100 g de brocoli coupés en gros morceaux
125 ml d'eau
60 ml de sauce à l'huître
2 c. à s. de jus de citron
500 g de pak choy coupé en gros morceaux
80 g de germes de soja

**1** Mélangez le sel et le poivre dans un petit bol et frottez-en la peau de chaque filet. Faites cuire le poisson côté peau, dans une poêle à griller huilée (ou au gril, ou au barbecue), jusqu'à ce qu'il soit doré et croustillant. Retournez les filets et faites-les dorer sur l'autre face jusqu'à la cuisson désirée. Couvrez pour garder au chaud.
**2** Pendant ce temps, faites chauffer l'huile dans un wok. Saisissez l'oignon brun, l'ail et le gingembre. Ajoutez les haricots et faites-les sauter 1 minute. Mettez les poivrons, les oignons verts, les haricots mange-tout et les brocolis. Saisissez les légumes sans les laisser ramollir.
**3** Versez l'eau, la sauce et le jus de citron et remuez pour faire épaissir légèrement ce mélange. Ajoutez le pak choy et les germes de soja et faites-les sauter pour les réchauffer. Servez le poisson sur un lit de légumes.

**à table** en 25 minutes
**pour** 4 personnes **par portion** 5,2 g de lipides (dont 1,4 g d'acides gras saturés) ; 306 cal ; 13,7 g de glucides ; 47,6 g de protéines ; 6 g de fibres

# Gambas au barbecue et salade de mangues fraîches

1 kg de gambas crues
½ c. à c. de curcuma en poudre
1 c. à c. de chili en poudre
2 c. à c. de paprika doux
2 gousses d'ail pilées
**salade de mangues**
2 grosses mangues (1,2 kg) coupées en gros morceaux
1 petit oignon rouge (100 g) émincé
1 long piment rouge ciselé
120 g de germes de soja
75 g de coriandre fraîche ciselée
2 c. à c. de nuoc-mâm
2 c. à c. de sucre de palme râpé
2 c. à s. de jus de citron vert
1 c. à s. d'huile d'arachide

**1** Décortiquez les gambas, retirez le fil noir et laissez les queues intactes. Mélangez-les avec le curcuma, le chili, le paprika et l'ail dans un saladier.
**2** Faites cuire les gambas en procédant en plusieurs tournées, dans une poêle à griller (ou au gril, ou au barbecue) pour les faire dorer légèrement.
**3** Préparez la salade de mangues pour accompagner les gambas.
**salade de mangues** mélangez tous les ingrédients dans un saladier.

**à table** en 35 minutes
**pour** 4 personnes **par portion** 5,9 g de lipides (dont 1 g d'acides gras saturés) ; 294 cal ; 30,3 g de glucides ; 29,5 g de protéines ; 5,1 g de fibres

# Truite aux parfums d'Asie et aux shiitake

1 c. à s. de haricots noirs salés, rincés et égouttés
1 gousse d'ail pilée
15 g (3 cm) de gingembre frais râpé
1 c. à c. de piment séché
80 ml de sauce de soja
6 oignons verts émincés
4 truites de 500 g chacune
400 g de shiitake frais
2 c. à s. de jus de citron

**1** Écrasez les haricots dans un petit bol. Ajoutez l'ail, le gingembre, le piment séché, la moitié de la sauce de soja et la moitié des oignons, puis mélangez.
**2** Déposez chaque poisson sur une feuille d'aluminium huilée assez grande. Farcissez-les d'un quart du mélange aux haricots. Fermez hermétiquement les papillotes et faites-les cuire dans une poêle à griller.
**3** Faites cuire les champignons dans une poêle à griller huilée, à découvert. Lorsqu'ils sont tendres, versez en filet le reste de la sauce au soja sur les champignons.
**4** Arrosez de jus de citron et parsemez d'oignon, puis servez les champignons avec les poissons.

**à table** en 25 minutes
**pour** 4 personnes **par portion** 7,6 g de lipides (dont 1,7 g d'acides gras saturés) ; 257 cal ; 2,7 g de glucides ; 42,2 g de protéines ; 3,3 g de fibres

# Dorade grillée aux brocolis chinois

4 filets de dorade de 200 g chacun
800 g de brocolis chinois
**sauce au gingembre et à l'ail**
8 cm de gingembre frais râpé (40 g)
2 gousses d'ail pilées
80 ml d'eau
80 ml de sauce de soja

**1** Préchauffez une poêle légèrement huilée et faites dorer le poisson de toutes parts sans le couvrir.
**2** Faites cuire les brocolis à la vapeur ou au micro-ondes puis égouttez-les bien. Ils doivent rester d'un beau vert tendre.
**3** Préparez la sauce au gingembre et à l'ail.
**4** Présentez le poisson sur les assiettes, nappez-le de sauce de soja et servez-le avec les brocolis.
**sauce au gingembre et à l'ail** mettez tous les ingrédients dans un bocal, fermez et secouez.

**à table** en 25 minutes
**pour** 4 personnes **par portion** 1,7 g de lipides (dont 0,2 g d'acides gras saturés) ; 198 cal ; 3,5 g de glucides ; 41,2 g de protéines ; 8,2 g de fibres
**conseil** vous pouvez utiliser un autre poisson blanc à chair ferme pour cette recette.

# Salade de thon grillé

600 g de thon frais
2 poivrons rouges moyens coupés en tranches fines
200 g de mesclun
**sauce**
60 ml de mirin
1 c. à s. de sauce de soja claire
1 gousse d'ail pilée
1 piment rouge épépiné et finement haché
1 oignon vert finement haché

**1** Faites cuire le thon sur un gril préchauffé ou au barbecue jusqu'à ce qu'il soit doré des deux côtés. Couvrez-les et laissez-le reposer 2 minutes, puis coupez-le en tranches fines.
**2** Préparez la sauce.
**3** Mettez le mesclun et les poivrons dans un saladier, versez la sauce et mélangez. Ajoutez les tranches de thon et servez aussitôt.
**sauce** mettez tous les ingrédients dans un bocal à couvercle, fermez et secouez.

**à table** en 15 minutes
**pour** 4 personnes **par portion** 8,9 g de lipides (dont 3,5 g d'acides gras saturés) ; 273 cal ; 4,6 g de glucides ; 40,1 g de protéines ; 2,2 g de fibres

# Pétoncles et salade de pois gourmands

250 g de pois gourmands écossés
20 pétoncles (800 g), sans le corail (gardez les coquilles)
100 g de tomates cerises coupées en deux
1 concombre libanais moyen (130 g), épépiné et coupé en tranches fines
75 g de feuilles de menthe
**vinaigrette au vinaigre balsamique**
1 c. à c. de zeste de citron finement râpé
2 c. à s. de jus de citron
1 gousse d'ail pilée
1 c. à s. d'huile d'olive
2 c. à c. de vinaigre balsamique
**vinaigrette au citron**
1 c. à s. de zeste de citron finement râpé
60 ml de jus de citron
1 gousse d'ail pilée
1 c. à s. d'huile d'olive

**1** Faites cuire les pois à l'eau bouillante, à la vapeur ou au micro-ondes, puis égouttez-les.
**2** Enlevez les pétoncles de leurs coquilles et réservez ces dernières. Disposez les pétoncles en une seule couche dans un panier vapeur, placé au-dessus d'une casserole d'eau bouillante. Couvrez et faites cuire 4 minutes.
**3** Rincez et séchez les coquilles.
**4** Préparez la vinaigrette au vinaigre balsamique, puis celle au citron.
**5** Transférez les pois dans un saladier avec les tomates, les concombres, la menthe et la vinaigrette au vinaigre balsamique. Remuez la salade.
**6** Présentez les pétoncles sur les coquilles et arrosez-les de vinaigrette au citron. Servez-les avec la salade.
**vinaigrette au vinaigre balsamique** placez les ingrédients dans un bocal, fermez et secouez.
**vinaigrette au citron** placez les ingrédients dans un bocal, fermez et secouez.

**à table** en 25 minutes
**pour** 4 personnes **par portion** 10,3 g de lipides (dont 1,6 g d'acides gras saturés) ; 188 cal ; 5,6 g de glucides ; 16,9 g de protéines ; 2,8 g de fibres

# Truite de mer grillée au pak choy

1 litre d'eau
60 ml de sauce de soja
1 anis étoilé
1 c. à c. de sambal oelek
1 c. à s. de miel
800 g de pak choy coupé dans la longueur
1 c. à s. d'huile de sésame
4 filets de truite de mer de 250 g

**1** Mélangez l'eau, la sauce de soja, l'anis étoilé, le sambal oelek et le miel dans une casserole de taille moyenne et portez à ébullition. Faites cuire le pak choy dans ce bouillon jusqu'à ce qu'il commence à flétrir. Retirez-le du bouillon et couvrez-le pour le garder au chaud. Filtrez le bouillon et versez-le dans un grand bol. Faites-le de nouveau bouillir, à découvert, pendant que le poisson cuit.
**2** Faites chauffer l'huile dans une grande poêle et saisissez le poisson à feu très vif. Servez les truites sur un lit de pak choy et arrosez-les de bouillon.

**à table** en 25 minutes
**pour** 4 personnes **par portion** 14,2 g de lipides (dont 2,8 g d'acides gras saturés) ; 367 cal ; 8,5 g de glucides ; 49,6 g de protéines ; 2,7 g de fibres

# Langoustes et salade aux agrumes

2 kg de langoustes crues
1 c. à s. d'huile d'olive
2 c. à s. de jus d'orange
2 c. à c. de zeste d'orange finement râpé
1 c. à s. de moutarde à l'ancienne
**salade aux agrumes**
1 pamplemousse moyen (425 g)
1 grosse orange (300 g)
1 citron (140 g)
150 g de frisée effeuillée
1 gros bulbe de fenouil (550 g), paré et coupé en tranches fines
1 c. à s. de moutarde à l'ancienne
1 c. à s. d'huile d'olive

**1** Posez les langoustes sur le dos, sur une planche à découper ; coupez les têtes et jetez-les. Coupez les queues en deux dans la longueur et ôtez la veine dorsale. Faites griller les langoustes dans une poêle à griller huilée (ou au gril, ou au barbecue).
**2** Préparez la salade aux agrumes.
**3** Mélangez les langoustes avec l'huile, le jus, le zeste d'orange et la moutarde dans un grand bol et remuez pour bien les enduire. Servez avec la salade aux agrumes.
**salade aux agrumes** coupez le pamplemousse, l'orange et le citron non pelé en quartiers de taille égale et faites-les dorer à découvert dans une poêle à griller huilée. Disposez les fruits dans un grand saladier avec la frisée, le fenouil et le mélange d'huile et de moutarde. Remuez délicatement.

**à table** en 35 minutes
**pour** 4 personnes **par portion** 11,1 g de lipides (dont 1,6 g d'acides gras saturés) ; 311 cal ; 13,7 g de glucides ; 36,2 g de protéines ; 5,4 g de fibres
**conseil** à défaut de langoustes, vous pouvez utiliser des gambas ou des grosses crevettes pour cette recette.

# Filets de poisson et sauce tomate aux herbes

12 petites pommes de terre (480 g) coupées en deux
4 courgettes moyennes (480 g) coupées en quatre dans la longueur
2 c. à s. d'huile d'olive
4 filets de poisson blanc de 200 g chacun
2 tomates olivettes (150 g), épépinées et coupées en petits dés
2 c. à s. de jus de citron
1 c. à s. d'aneth frais ciselé
2 c. à s. de basilic frais ciselé

**1** Faites cuire séparément, à l'eau ou à la vapeur, les courgettes et les pommes de terre puis égouttez-les.
**2** Pendant que les légumes cuisent, faites chauffer la moitié de l'huile dans une grande poêle antiadhésive pour y faire dorer le poisson sur les deux faces. Réservez-le au chaud entre deux assiettes.
**3** Essuyez la poêle avec une feuille de papier absorbant puis faites-y chauffer le reste d'huile. Ajoutez les tomates et le jus de citron. Laissez cuire 2 minutes en remuant sans cesse. Retirez la poêle du feu pour incorporer les herbes.
**4** Répartissez les légumes sur les assiettes de service puis ajoutez les filets de poisson. Nappez-les de sauce et servez aussitôt.

**à table** en 30 minutes
**pour** 4 personnes **par portion** 10,8 g de lipides (dont 1,5 g d'acides gras saturés) ; 328 cal ; 18,5 g de glucides ; 38,1 g de protéines ; 4,6 g de fibres
**note** tous les poissons blancs à chair ferme conviennent pour cette recette.

# Gambas sautées au tamarin et au pak choy

1 kg de gambas crues de taille moyenne
2 c. à s. d'huile d'arachide
4 oignons verts émincés
4 gousses d'ail émincées
1 c. à c. de Maïzena
125 ml de bouillon de légumes
2 c. à s. de sauce à l'huître
1 c. à s. de purée de tamarin
1 c. à c. de sambal oelek
2 c. à c. d'huile de sésame
1 c. à s. de jus de citron vert
1 c. à s. de sucre roux
350 g de potimarron coupé en gros morceaux
300 g de pois gourmands écossés
800 g de pak choy coupé en gros morceaux

**1** Décortiquez les gambas et retirez le fil noir, en laissant les queues.
**2** Faites chauffer la moitié de l'huile d'arachide dans un wok. Saisissez les oignons et l'ail séparément. Essuyez-les sur du papier absorbant.
**3** Mélangez la Maïzena et le bouillon de légumes dans un petit bol ; versez la sauce à l'huître, le tamarin, le sambal oelek, l'huile de sésame, le jus de citron et le sucre.
**4** Faites chauffer le reste de l'huile d'arachide dans un wok. Procédez en plusieurs tournées pour faire sauter les gambas. Arrêtez la cuisson dès qu'elles changent de couleur et sont presque cuites.
**5** Faites sauter le potimarron dans un wok sans le laisser ramollir. Ajoutez le mélange de l'étape 3 et poursuivez la cuisson à feu vif jusqu'à ce que la sauce bouillonne et épaississe légèrement.
**6** Versez les gambas, les pois et le pak choy dans le wok. Faites-les sauter jusqu'à ce que le pak choy commence tout juste à flétrir et que les gambas soient à point.
**7** Servez ce plat accompagné de riz au jasmin cuit à la vapeur, si vous le souhaitez, et parsemez d'oignon et d'ail.

**à table** en 35 minutes
**pour** 4 personnes **par portion** 13,3 g de lipides (dont 2,2 g d'acides gras saturés) ; 329 cal ; 15,6 g de glucides ; 33,2 g de protéines ; 7 g de fibres

# Espadon mariné au sumac et salade méditerranéenne

200 g de couscous
250 ml d'eau bouillante
1 c. à s. d'huile d'olive
4 steaks d'espadon de 200 g chacun
2 c. à s. de sumac moulu
1 c. à c. de sel
1 c. à c. de poivre noir concassé
1 citron coupé en quatre
**salade méditerranéenne**
2 tomates moyennes (300 g), épépinées et concassées
2 poivrons rouges (400 g), grossièrement hachés
2 c. à s. d'olives noires dénoyautées et grossièrement hachées
2 c. à s. de petites câpres en saumure, rincées et égouttées
1 bouquet de persil plat frais grossièrement ciselé

**1** Placez la semoule dans un récipient résistant à la chaleur. Versez l'eau bouillante, couvrez et laissez reposer 5 minutes jusqu'à absorption complète du liquide. Aérez la graine à la fourchette puis incorporez l'huile d'olive.
**2** Mélangez le sumac, le sel et le poivre dans un saladier, frottez les steaks de poisson de ce mélange puis faites-les cuire dans une grande poêle légèrement huilée. Ils doivent être saisis en surface et juste cuits au centre.
**3** Préparez la salade méditerranéenne.
**4** Servez le poisson accompagné de salade et de couscous avec des quartiers de citron vert.
**salade méditerranéenne** mélangez tous les ingrédients dans un saladier.

**à table** en 30 minutes
**pour** 4 personnes **par portion** 9,7 g de lipides (dont 2,1 g d'acides gras saturés) ; 476 cal ; 45,7 g de glucides ; 49,9 g de protéines ; 3,9 g de fibres
**conseil** nous avons utilisé de l'espadon pour cette recette, mais vous pouvez le remplacer par un autre poisson blanc à chair ferme.

poulet

# Brochettes de poulet à la salsa de papaye

12 filets de poulet (900 g)
1 papaye (650 g), pelée
4 oignons verts coupés en fines rondelles
1 concombre libanais (130 g), coupé en petits dés
1 poignée de menthe fraîche hachée
10 g (2 cm) de gingembre frais râpé
1 c. à s. de sauce chili douce
2 c. à s. de jus de citron vert

**1** Enfilez les filets de poulet sur des brochettes. Faites cuire les brochettes par fournée dans une poêle à griller légèrement huilée (ou au gril ou au barbecue), 15 minutes environ jusqu'à ce que le poulet soit doré de tous les côtés.
**2** Émincez la papaye. Mettez-la dans un saladier avec les oignons, le concombre, la menthe, le gingembre, la sauce chili et le jus de citron. Mélangez délicatement.
**3** Servez les brochettes avec la salsa de papaye.

**à table** en 25 minutes
**pour** 4 personnes **par portion** 5,6 g de lipides (dont 1,4 g d'acides gras saturés) ; 309 cal ; 10,2 g de glucides ; 51,9 g de protéines ; 3,8 g de fibres
**conseils** laissez tremper 12 brochettes en bambou dans de l'eau froide avant utilisation pour qu'elles ne brûlent pas pendant la cuisson. Vous pouvez aussi remplacer la papaye par de la mangue si vous le souhaitez.

# Poulet thaï au riz blanc

300 g de riz blanc à grain long
150 g de feuilles de menthe fraîche
80 ml de sauce chili douce
1 c. à s. de nuoc-mâm
1 c. à s. de sauce de soja
125 ml de jus de citron vert
10 g (2 cm) de gingembre frais râpé
40 g (2 tiges de 10 cm) de citronnelle coupée en petits morceaux
4 filets de poulet de 170 g
1 petit poivron rouge (150 g), coupé en gros morceaux

**1** Faites cuire le riz à découvert dans une grande casserole d'eau bouillante, puis égouttez-le.
**2** Réservez 2 cuillerées à soupe de menthe. Mixez le reste avec les sauces, le jus de citron, le gingembre et la citronnelle pour obtenir une sauce onctueuse.
**3** Procédez en plusieurs tournées pour faire cuire le poulet dans une poêle à griller huilée (ou au gril, ou au barbecue). Faites-le dorer sur les deux faces.
**4** Mélangez les morceaux de poivrons avec le riz cuit. Disposez ce mélange sur les assiettes et garnissez de poulet. Versez la sauce en filet et parsemez de menthe.

**à table** en 20 minutes
**pour** 4 personnes **par portion** 5,1 g de lipides (dont 1,2 g d'acides gras saturés) ; 503 cal ; 65,9 g de glucides ; 45,4 g de protéines ; 3 g de fibres

# Nouilles sautées au poulet et aux légumes

500 g de pâtes de riz fraîches (larges)
1 c. à s. d'huile de sésame
500 g de filets de poulet émincés
250 g de pleurotes coupés en lamelles
60 ml de sauce à l'huître
1 c. à s. de nuoc-mâm
1 c. à s. de sucre en poudre
2 c. à c. de sambal oelek
250 g de feuilles d'épinards
40 g de coriandre effeuillée

**1** Rincez les pâtes à l'eau chaude. Séparez-les à la fourchette et égouttez-les.
**2** Faites chauffer l'huile dans un wok. Procédez en plusieurs tournées pour faire dorer le poulet.
**3** Versez les pleurotes dans le wok et faites-les sauter. Transférez le poulet dans le wok avec les pâtes, les sauces, le sucre et le sambal oelek pour les réchauffer.
**4** Retirez le wok du feu. Ajoutez les épinards et la coriandre, puis mélangez.

**à table** en 20 minutes
**pour** 4 personnes **par portion** 8,6 g de lipides (dont 1,4 g d'acides gras saturés) ; 376 cal ; 36,4 g de glucides ; 35,2 g de protéines ; 5,3 g de fibres

# Salade fraîcheur au poulet

500 g de blancs de poulet
125 g de vermicelles de riz
1 grosse carotte (180 g) coupée en julienne
1 poivron rouge moyen (200 g) coupé en fines lanières
1 poivron vert moyen (200 g) coupé en fines lanières
1 mini concombre (130 g), épépiné et coupé en bâtonnets très fins
1 piment rouge frais (long) finement émincé
1 bouquet de menthe fraîche grossièrement ciselée
35 g de cacahuètes grillées, grossièrement concassées
**sauce au citron vert**
60 ml de jus de citron vert
65 g de sucre de palme râpé ou de sucre roux
60 ml de nuoc-mâm

**1** Préparez la sauce au citron vert.
**2** Versez la moitié de la sauce au citron vert dans une petite casserole, ajoutez les blancs de poulet et couvrez-les d'eau bouillante. Faites-les pocher 10 minutes sans couvrir. Laissez-les refroidir 10 minutes dans leur eau de cuisson avant de les égoutter. Détaillez-les en tranches fines.
**3** Pendant la cuisson du poulet, plongez les vermicelles dans un grand volume d'eau bouillante et laissez-les tremper quelques minutes pour les assouplir. Égouttez-les, rincez-les sous l'eau froide puis égouttez-les de nouveau.
**4** Mélangez dans un saladier le poulet, les vermicelles, la carotte, les poivrons, le concombre, le piment, la menthe et le reste de sauce. Remuez délicatement. Répartissez la salade dans les assiettes et garnissez de cacahuètes concassées.
**sauce au citron vert** mettez tous les ingrédients dans un bocal, fermez et secouez pour bien mélanger.

**à table** en 35 minutes
**pour** 4 personnes **par portion** 7,8 g de lipides (dont 1,3 g d'acides gras saturés) ; 386 cal ; 43,1 g de glucides ; 35,6 g de protéines ; 4,6 g de fibres

# Tortillas de poulet laqué et salade au cresson

80 g de sauce aux canneberges
1 c. à s. de moutarde à l'ancienne
1 c. à s. de jus de citron
25 g (5 cm) de gingembre frais râpé
1 gousse d'ail pilée
500 g de blancs de poulet
1 petit oignon rouge (100 g) finement émincé
60 g de cresson jeune, lavé et essoré
quelques feuilles de coriandre fraîche ciselées
quelques feuilles de menthe fraîche ciselées
1 c. à s. de vinaigre de vin blanc
4 grandes tortillas de blé

**1** Mélangez la sauce aux canneberges, la moutarde, le jus de citron, le gingembre et l'ail dans une casserole ; portez à ébullition sans cesser de remuer.
**2** Faites cuire les blancs de poulet dans une grande poêle légèrement huilée en les badigeonnant régulièrement de la sauce faite précédemment. Couvrez et laissez reposer 5 minutes avant de les détailler en tranches fines.
**3** Mélangez l'oignon, le cresson, la coriandre, la menthe et le vinaigre dans un saladier.
**4** Faites chauffer les tortillas de blé en respectant les instructions de l'emballage.
**5** Disposez les tranches de poulet et la salade au centre des tortillas et roulez ces dernières pour former un cornet ou présentez-les à plat sur les assiettes de service.

**à table** en 35 minutes
**pour** 4 personnes **par portion** 5,6 g de lipides (dont 1,2 g d'acides gras saturés) ; 310 cal ; 31 g de glucides ; 33,4 g de protéines ; 2,9 g de fibres

# Filets de poulet au poivre vert et à l'estragon

4 pommes de terre moyennes (800 g)
8 filets de poulet (600 g)
1 c. à s. de poivre noir broyé
4 grosses tomates (1 kg) coupées en fines tranches
1 oignon rouge moyen (170 g) émincé
**vinaigrette au poivre vert et à l'estragon**
2 c. à s. d'eau
2 c. à s. de grains de poivre vert écrasés
2 c. à s. de moutarde à l'ancienne
2 oignons verts émincés
1 c. à s. d'estragon ciselé
1 c. à s. d'huile d'olive
1 c. à s. de sucre en poudre
80 ml de vinaigre de vin blanc

**1** Faites cuire les pommes de terre à l'eau bouillante, à la vapeur ou au micro-ondes, puis égouttez-les.
**2** Enduisez le poulet de poivre dans une terrine. Faites-le griller en procédant en plusieurs tournées dans une poêle à griller huilée (ou au gril, ou au barbecue) jusqu'à ce qu'il soit doré sur les deux faces et cuit à point. Laissez-le reposer 5 minutes puis découpez-le en tranches épaisses.
**3** Quand les pommes de terre sont suffisamment refroidies, coupez-les en tranches épaisses. En procédant en plusieurs tournées, faites-les dorer des deux côtés dans la même poêle à griller.
**4** Préparez la vinaigrette au poivre vert et à l'estragon.
**5** Disposez le poulet, les pommes de terre, les tomates et les rondelles d'oignons sur les assiettes de service. Versez la vinaigrette en filet.
**vinaigrette au poivre vert et à l'estragon** mélangez l'eau, les grains de poivre, la moutarde, les oignons verts, l'estragon, l'huile, le sucre et le vinaigre dans un bol, puis fouettez.

**à table** en 25 minutes
**pour** 4 personnes **par portion** 8,5 g de lipides (dont 1,5 g d'acides gras saturés) ; 399 cal ; 35,2 g de glucides ; 41,5 g de protéines ; 6,6 g de fibres

# Sauté de poulet aux pois et aux haricots

300 g de riz au jasmin
1 c. à s. d'huile d'arachide
700 g de filets de poulet émincés
1 oignon brun moyen (150 g) émincé
1 long piment rouge coupé en lanières
1 gousse d'ail pilée
150 g de pois gourmands écossés
150 g de haricots mange-tout écossés
125 g de mini épis de maïs coupés en deux
2 c. à s. de kecap manis
2 c. à s. de sauce char siu
125 ml de bouillon de poulet
1 c. à s. de Maïzena
2 c. à s. de jus de citron vert

**1** Faites cuire le riz dans une grande casserole d'eau bouillante à découvert. Coupez le feu avant qu'il ne soit tout à fait cuit et égouttez-le. Couvrez-le pour le garder au chaud.
**2** Faites chauffer la moitié de l'huile dans un wok. Procédez en plusieurs tournées pour faire sauter le poulet jusqu'à ce qu'il soit doré sur toutes les faces et presque à point.
**3** Faites chauffer le reste de l'huile dans le wok. Faites revenir l'oignon, le piment et l'ail. Ajoutez les pois, les haricots et le maïs et faites-les sauter. Ajoutez le poulet avec les sauces et le bouillon ; poursuivez la cuisson à feu vif pour que le poulet soit cuit à point. Délayez la Maïzena dans le jus de citron et versez ce mélange dans le wok. Continuez la cuisson jusqu'à ce que la sauce bouillonne et épaississe. Disposez le riz sur les assiettes de service et garnissez de poulet.

**à table** en 35 minutes
**pour** 4 personnes **par portion** 10,3 g de lipides (dont 2,1 g d'acides gras saturés) ; 613 cal ; 76,6 g de glucides ; 49,6 g de protéines ; 5,3 g de fibres

# Poulet pimenté aux légumes verts asiatiques

500 g de riz au jasmin
1 c. à s. d'huile de sésame
4 filets de poulet (800 g) émincés
2 gousses d'ail pilées
1 gros poivron rouge (350 g) coupé en lanières
100 g de confiture de piments thaïs
2 c. à s. de sauce chili douce
60 ml de bouillon de poulet
500 g de pak choy coupé dans la longueur
225 g de châtaignes d'eau en boîte, égouttées et coupées en deux
4 oignons verts émincés
1 c. à s. de graines de sésame grillées

**1** Faites cuire le riz dans une grande casserole d'eau bouillante à découvert. Coupez le feu avant qu'il ne soit tout à fait cuit et égouttez-le. Couvrez-le pour le garder au chaud.
**2** Faites chauffer la moitié de l'huile dans un wok. Procédez en plusieurs tournées pour faire sauter le poulet jusqu'à ce qu'il soit à point. Remettez tout le poulet dans le wok et ajoutez l'ail, le poivron, la confiture, la sauce et le bouillon. Poursuivez la cuisson 2 minutes pour que la sauce épaississe légèrement. Retirez-la du wok.
**3** Faites chauffer le reste de l'huile dans le même wok après l'avoir nettoyé. Saisissez le pak choy, les châtaignes d'eau et les oignons jusqu'à ce que le chou commence à flétrir. Transférez le pak choy sur les assiettes de service, garnissez de poulet pimenté et parsemez de graines de sésame. Servez avec du riz.

**à table** en 25 minutes
**pour** 4 personnes **par portion** 13,7 g de lipides (dont 2,7 g d'acides gras saturés) ; 835 cal ; 11,9 g de glucides ; 57,6 g de protéines ; 5,4 g de fibres

# Poulet au harissa et salade au couscous

800 g de filets de poulet coupés en tranches épaisses
2 c. à s. de harissa
2 c. à c. de zeste de citron finement râpé
**salade au couscous**
375 ml de bouillon de poulet
2 c. à c. de coriandre en poudre
300 g de couscous
1 poivron rouge moyen (200 g), coupé en petits morceaux
1 oignon brun moyen (150 g), coupé en petits morceaux
3 oignons verts émincés
75 g de feuilles de coriandre
80 ml de jus de citron
1 c. à s. d'huile d'olive

**1** Mélangez le poulet avec la harissa et le zeste de citron dans un saladier.
**2** Faites griller le poulet dans une poêle à griller huilée (ou au gril, ou au barbecue), à découvert. Couvrez-le et laissez-le reposer 5 minutes, puis coupez-le en tranches épaisses.
**3** Pendant ce temps, préparez la salade au couscous. Servez le poulet sur cette salade.
**salade au couscous** faites bouillir le bouillon et la coriandre en poudre dans une casserole moyenne. Retirez du feu et versez le couscous. Couvrez-le et laissez-le reposer 5 minutes pour qu'il absorbe l'eau. Remuez de temps en temps avec une fourchette. Ajoutez le reste des ingrédients et remuez délicatement pour mélanger.

**à table** en 30 minutes
**pour** 4 personnes **par portion** 10,4 g de lipides (dont 2,2 g d'acides gras saturés) ; 592 cal ; 64,7 g de glucides ; 57,4 g de protéines ; 2,3 g de fibres
**note** la harissa, sauce épicée originaire d'Afrique du Nord, est composée de piments rouges, d'ail, d'huile d'olive et de graines de carvi. Elle est utilisée pour enduire les viandes, pimenter les sauces ou en condiment.

# Poulet à la citronnelle et aux asperges

500 g de filets de poulet coupés en tranches épaisses
3 gousses d'ail pilées
40 g (2 tiges de 10 cm) de citronnelle coupées en petits morceaux
1 c. à c. de sucre en poudre
5 g (1 cm) de gingembre frais râpé
1 c. à s. d'huile d'arachide
400 g d'asperges parées
1 gros oignon brun (200 g) coupé en gros morceaux
2 tomates moyennes (380 g), épépinées et coupées en gros morceaux
2 c. à c. de coriandre fraîche ciselée
2 c. à s. de graines de sésame grillées

**1** Mélangez le poulet avec l'ail, la citronnelle, le sucre, le gingembre et la moitié de l'huile dans un saladier.
**2** Coupez les asperges en trois et faites-les cuire à l'eau bouillante, à la vapeur ou au micro-ondes. Ne les laissez pas ramollir. Une fois la cuisson terminée, rincez-les tout de suite à l'eau froide puis égouttez-les.
**3** Faites chauffer le reste de l'huile dans un wok. Faites revenir l'oignon puis ôtez-le du wok.
**4** Saisissez le poulet en procédant en plusieurs tournées jusqu'à ce qu'il soit doré et à point.
**5** Transférez tous les morceaux de poulet avec l'oignon, les asperges et les tomates dans le wok et faites-les sauter pour les réchauffer. Avant de servir, parsemez de coriandre et de graines de sésame.

**à table** en 30 minutes
**pour** 4 personnes **par portion** 7,6 g de lipides (dont 1,6 g d'acides gras saturés) ; 222 cal ; 5,7 g de glucides ; 31,2 g de protéines ; 2,5 g de fibres

# Brochettes de poulet au citron et aux artichauts

3 citrons moyens (420 g)
3 petits oignons rouges (300 g)
500 g de filets de poulet coupés en morceaux de 3 cm
400 g de cœurs d'artichauts marinés, coupés en quatre et égouttés
300 g de champignons de Paris
100 g de roquette
2 c. à s. de petites câpres rincées et égouttées
**vinaigrette au citron**
1 c. à s. de jus de citron
2 gousses d'ail pilées
½ c. à c. de moutarde douce
1 c. à s. de vinaigre de vin blanc
1 c. à s. d'huile d'olive

**1** Coupez chaque citron en huit quartiers et deux oignons en six quartiers. Garnissez les brochettes dans l'ordre suivant : un quartier de citron, un quartier d'oignon, un morceau de poulet, un cœur d'artichaut et un champignon.
**2** Préparez la vinaigrette au citron.
**3** Disposez les brochettes dans un plat creux et enduisez-les de la moitié de la vinaigrette. Faites-les cuire à point dans une poêle à griller légèrement huilée (ou au gril, ou au barbecue).
**4** Émincez l'oignon restant et mettez-le dans un grand saladier avec la roquette, les câpres et le reste de la vinaigrette ; remuez délicatement. Répartissez la salade sur les assiettes de service et disposez dessus trois brochettes par personne.
**vinaigrette au citron** placez les ingrédients dans un bocal, fermez et secouez.

**à table** en 35 minutes
**pour** 4 personnes **par portion** 8,3 g de lipides (dont 1,4 g d'acides gras saturés) ; 258 cal ; 7,6 g de glucides ; 34,5 g de protéines ; 7 g de fibres
**conseil** faites tremper les 12 brochettes en bambou avant de les utiliser pour éviter qu'elles brûlent ou cassent pendant la cuisson.

# Sauté de poulet au tamarin

400 g de riz au jasmin
700 g de filets de poulet émincés
1 c. à s. de concentré de tamarin
3 gousses d'ail pilées
2 petits piments thaïs rouges, coupés en morceaux
2 c. à c. de sucre en poudre
1 c. à s. de jus de citron vert
1 c. à s. d'huile d'arachide
1 gros oignon brun (200 g), coupé en tranches épaisses
75 g de coriandre fraîche

**1** Faites cuire le riz à découvert dans une grande casserole d'eau bouillante, puis rincez-le.
**2** Mélangez le poulet, le tamarin, l'ail, les piments, le sucre et le jus de citron vert dans un bol moyen.
**3** Faites chauffer la moitié de l'huile dans un wok. Faites dorer le poulet sur toutes les faces en procédant en plusieurs tournées.
**4** Chauffez le reste de l'huile dans le wok, puis faites revenir l'oignon. Transférez le poulet dans le wok et mélangez. Servez avec du riz et parsemez de coriandre.

**à table** en 25 minutes
**pour** 4 personnes **par portion** 9,2 g de lipides (dont 2 g d'acides gras saturés) ; 617 cal ; 84,1 g de glucides ; 47 g de protéines ; 1,9 g de fibres

# Poulet grillé sur salade de tomates chaudes

4 filets de poulet de 170 g
2 c. à s. de jus de citron vert
60 ml de sauce chili douce
2 gousses d'ail pilées
4 feuilles de citronnier kaffir ciselées
20 g de beurre
2 oignons bruns moyens (300 g), coupés en tranches épaisses
2 c. à s. de vinaigre de vin rouge
55 g de sucre en poudre
2 c. à s. de sauce chili douce supplémentaire
60 ml d'eau
60 ml de jus d'orange
6 tomates olivettes moyennes (450 g), coupées en quartiers
1 c. à s. de piments jalapeño en boîte, coupés en morceaux
3 oignons verts coupés en tranches épaisses

**1** Enduisez le poulet de jus de citron, de sauce chili, d'ail et de feuilles de kaffir dans un grand saladier.
**2** Faites fondre le beurre dans une grande casserole. Faites revenir les oignons bruns en remuant. Ajoutez le vinaigre et le sucre et laissez frémir 2 minutes en remuant. Versez la sauce chili supplémentaire, l'eau et le jus d'orange, puis ajoutez les tomates et les piments pour les réchauffer.
**3** Essuyez le poulet et procédez en plusieurs tournées pour le faire cuire dans une poêle à griller huilée (ou au gril, ou au barbecue). Arrêtez la cuisson quand il est doré sur les deux faces et cuit à point. Couvrez-le pour le garder au chaud.
**4** Servez le poulet sur la salade de tomates chaudes et parsemez d'oignons verts.

**à table** en 30 minutes
**pour** 4 personnes **par portion** 9 g de lipides (dont 3,9 g d'acides gras saturés) ; 363 cal ; 26,7 g de glucides ; 41,2 g de protéines ; 3,9 g de fibres

# Poulet au pak choy et aux champignons

2 c. à s. de miel
80 ml de sauce de soja
2 c. à s. de xérès sec
1 c. à c. de cinq-épices
20 g (4 cm) de gingembre frais râpé
1 c. à s. d'huile d'arachide
4 filets de poulet de 170 g
4 gros champignons de Paris (360 g)
500 g de pak choy coupé dans la longueur
250 ml de bouillon de poulet
2 c. à c. de Maïzena
2 c. à s. d'eau

**1** Mélangez le miel, la sauce de soja, le xérès, le cinq-épices, le gingembre et l'huile. Faites mariner le poulet dans la moitié de ce mélange. Couvrez-le et réfrigérez-le 10 minutes.
**2** Procédez en plusieurs tournées pour faire griller le pak choy et les champignons dans une poêle à griller (ou au gril, ou au barbecue), puis couvrez-les pour les garder au chaud.
**3** Essuyez le poulet et faites-le griller dans la même poêle (ou au gril, ou au barbecue) jusqu'à ce qu'il soit doré sur toutes les faces. Couvrez-le et laissez-le reposer 5 minutes, puis coupez-le en tranches épaisses.
**4** Mélangez le reste du mélange au miel dans une petite casserole avec le bouillon et portez-les à ébullition. Délayez la Maïzena dans l'eau et incorporez-la au bouillon. Poursuivez la cuisson en remuant pour que la sauce bouillonne et épaississe légèrement.
**5** Disposez les champignons et le chou sur les assiettes de service et recouvrez-les de poulet, puis versez la sauce en filet.

**à table** en 25 minutes
**pour** 4 personnes **par portion** 9,3 g de lipides (dont 2 g d'acides gras saturés) ; 345 cal ; 15,7 g de glucides ; 44,9 g de protéines ; 4 g de fibres

# Poulet et salsa de concombre et de tomate

4 filets de poulet de 170 g
2 petites tomates (260 g), épépinées et coupées en tranches fines
1 concombre libanais (130 g), épépiné et coupé en tranches fines
1 petit oignon rouge (100 g) émincé
2 c. à s. de sauce chili douce
3 c. à c. de jus de citron vert
1 c. à s. de coriandre ciselée

**1** Procédez en plusieurs tournées pour faire griller le poulet dans une poêle à griller (ou au gril, ou au barbecue) jusqu'à ce qu'il soit doré sur toutes les faces.
**2** Mélangez le reste des ingrédients dans un petit bol et remuez.
**3** Servez le poulet nappé de cette salade.

**à table** en 25 minutes
**pour** 4 personnes **par portion** 4,3 g de lipides (dont 1,1 g d'acides gras saturés) ; 217 cal ; 4,3 g de glucides ; 39,3 g de protéines ; 1,4 g de fibres

# Brochettes de poulet à la sauce chili et au citron vert

80 ml de sauce chili douce
2 c. à s. de nuoc-mâm
2 c. à s. de jus de citron vert
6 filets de cuisses de poulet (660 g), coupés en deux dans la longueur
1 oignon vert ciselé

**1** Mélangez les sauces et le jus de citron dans un petit bol. Réservez la moitié de la sauce dans un bol de service.
**2** Enfilez les morceaux de poulet sur les brochettes dans la longueur et enduisez-les avec le reste de la sauce. Faites griller les brochettes dans une poêle à griller (ou au gril, ou au barbecue).
**3** Ajoutez l'oignon à la sauce réservée et servez-la avec les brochettes.

**à table** en 25 minutes
**pour** 4 personnes **par portion** 12,1 g de lipides (dont 3,6 g d'acides gras saturés) ; 265 cal ; 7,3 g de glucides ; 31,6 g de protéines ; 0,2 g de fibres
**conseil** faites tremper les 12 brochettes en bambou avant de les utiliser pour éviter qu'elles brûlent ou cassent pendant la cuisson.

# viandes

# Nouilles pimentées à l'agneau et au pak choy

400 g de nouilles de riz fraîches (fines)
1 c. à s. d'huile d'arachide
500 g de viande d'agneau hachée
3 gousses d'ail pilées
2 petits piments thaïs coupés en dés
400 g de pak choy coupé en lanières
2 c. à s. de tamari
1 c. à s. de nuoc-mâm
2 c. à s. de kecap manis
4 oignons verts émincés
150 g de basilic thaï frais
240 g de germes de soja

**1** Disposez les nouilles dans un récipient de taille moyenne résistant à la chaleur. Recouvrez-les d'eau bouillante, séparez-les avec une fourchette et égouttez.
**2** Faites chauffer l'huile dans un wok et saisissez l'agneau. Ajoutez l'ail et les piments puis faites-les revenir pour exalter les saveurs. Versez les nouilles, le pak choy, le tamari, le nuoc-mâm et le kecap manis puis arrêtez la cuisson dès que le pak choy commence à flétrir.
**3** Retirez du feu et incorporez les oignons, le basilic et les germes de soja.

**à table** en 35 minutes
**pour** 4 personnes **par portion** 14,4 g de lipides (dont 4,7 g d'acides gras saturés) ; 449 cal ; 44,5 g de glucides ; 34,3 g de protéines ; 5,3 g de fibres

# Porc au vin chaud et aux fruits d'été

500 ml d'eau
250 ml de vin blanc sec
110 g de sucre en poudre
2 bâtons de cannelle
5 clous de girofle
60 ml de cognac
2 pêches moyennes (300 g) coupées en quatre
4 prunes moyennes (450 g) coupées en quatre
2 nectarines moyennes (340 g) coupées en quatre
4 abricots moyens (200 g) coupés en quartiers
800 g de filet de porc
1 long piment rouge émincé
1 long piment vert émincé

**1** Mélangez l'eau, le vin et le sucre dans une grande sauteuse, sans cesser de remuer. Faites fondre le sucre sans faire bouillir le mélange, puis portez-le à ébullition. Ajoutez la cannelle, les clous de girofle, le cognac et les fruits puis réduisez le feu. Laissez frémir à découvert 5 minutes. À l'aide d'une louche, transférez les fruits dans un saladier et couvrez-les pour les garder au chaud.
**2** Faites bouillir de nouveau le liquide de cuisson et ajoutez le porc. Réduisez le feu et laissez mijoter 10 minutes environ. Une fois la viande cuite à point, laissez-la refroidir 10 minutes dans l'eau de cuisson, puis coupez-la en tranches épaisses. Jetez le liquide.
**3** Mélangez les piments et les fruits. Disposez les fruits et leur jus éventuel, puis les tranches de porc sur les assiettes de service.

**à table** en 30 minutes
**pour** 4 personnes **par portion** 4,9 g de lipides (dont 1,6 g d'acides gras saturés) ; 501 cal ; 46,5 g de glucides ; 46,2 g de protéines ; 5,5 g de fibres
**note** si le vin chaud est une boisson fort agréable en hiver, cette recette qui utilise les plus beaux fruits de l'été démontre qu'il peut se déguster – avec modération – à toute époque de l'année !

# Salade de bœuf à la marocaine

250 ml de bouillon de légumes
300 g de couscous
75 g d'abricots secs
80 g de raisins secs
1 oignon rouge (170 g), émincé très finement
1 poignée de feuilles de menthe ciselées
2 c. à s. d'aneth ciselé
600 g de pavé de bœuf
1 c. à s. de pignons de pin
2 c. à c. de graines de cumin
180 ml de vinaigrette

**1** Portez le bouillon à ébullition. Retirez la casserole du feu pour y ajouter le couscous en remuant bien. Couvrez et laissez reposer 5 minutes. Quand tout le liquide est absorbé, aérez la graine à la fourchette et transférez-la dans un saladier. Incorporez les fruits secs, l'oignon et les herbes.
**2** Faites cuire le pavé de bœuf sur une plaque en fonte préchauffée. Quand il est cuit à votre convenance (de préférence saignant), retirez-le du feu, couvrez-le 5 minutes d'une feuille de papier d'aluminium avant de le découper en tranches fines.
**3** Faites griller à sec dans une poêle antiadhésive les pignons de pin et les graines de cumin. Répartissez la semoule dans les assiettes, garnissez de tranches de bœuf et décorez de pignons de pin et de graines de cumin.
**4** Servez avec de la vinaigrette.

**à table** en 35 minutes
**pour** 4 personnes **par portion** 13,5 g de lipides (dont 4,9 g d'acides gras saturés) ; 678 cal ; 91,5 g de glucides ; 46,5 g de protéines ; 4,4 g de fibres

# Côtelettes d'agneau à la marocaine

24 côtelettes d'agneau
1 c. à c. de coriandre moulue
2 c. à c. de cumin moulu
2 c. à c. de paprika doux
¼ de c. à c. de piment de Cayenne
1 gousse d'ail pilée
1 c. à s. de persil frais finement ciselé
2 c. à s. d'huile d'olive
1 c. à c. de graines de cumin grillées
60 g de caviar d'aubergines

**1** Dans un petit récipient, mélangez la coriandre, le cumin, le paprika, le piment, l'ail, le persil et l'huile puis frottez les côtelettes de ce mélange sur les deux faces.
**2** Faites cuire les côtelettes au barbecue ou sur un gril en fonte préchauffé. La viande doit rester légèrement rosée à cœur.
**3** Au moment de servir, parsemez les graines de cumin sur les côtelettes. Présentez séparément le caviar d'aubergines.

**à table** en 15 minutes
**pour** 6 personnes **par portion** 14,8 g de lipides (dont 4,7 g d'acides gras saturés) ; 233 cal ; 0,5 g de glucides ; 24,5 g de protéines ; 1,1 g de fibres
**note** vous trouverez du caviar d'aubergines tout prêt en grandes surfaces ou dans les épiceries fines.

# Sang choy bow

2 c. à c. d'huile de sésame
500 g de porc maigre haché
1 petit oignon brun (80 g) émincé
1 gousse d'ail pilée
5 g (1 cm) de gingembre frais râpé
2 c. à s. d'eau
100 g de shiitake coupés en tranches fines
2 c. à s. de sauce de soja
2 c. à s. de sauce à l'huître
1 c. à s. de jus de citron vert
160 g de germes de soja
4 oignons verts émincés
40 g de coriandre fraîche ciselée
12 grandes feuilles de laitue

**1** Dans un wok huilé, faites revenir le porc, l'oignon brun, l'ail et le gingembre jusqu'à ce que la viande change de couleur.
**2** Ajoutez l'eau, les champignons, les sauces et le jus de citron vert puis faites-les revenir. Retirez du feu, placez les germes de soja, les oignons verts et la coriandre. Remuez pour mélanger.
**3** Déposez les feuilles de laitue sur les assiettes et garnissez-les de cette préparation.

**à table** en 30 minutes
**pour** 4 personnes **par portion** 4,7 g de lipides (dont 1 g d'acides gras saturés) ; 203 cal ; 5,6 g de glucides ; 32,5 g de protéines ; 3,7 g de fibres

# Côtelettes de porc glacées à la marmelade

125 ml de vin rouge
115 g de marmelade d'orange
1 gousse d'ail pilée
80 ml de jus d'orange frais
1 c. à s. d'huile d'olive
4 côtelettes de porc

**1** Mélangez le vin, la marmelade, l'ail et le jus d'orange dans une casserole ; portez à ébullition et laissez épaissir la sauce légèrement. Retirez du feu.
**2** Faites chauffer l'huile dans une poêle et faites cuire les côtelettes jusqu'à ce qu'elles soient dorées des deux côtés en les badigeonnant régulièrement de sauce.

**à table** en 25 minutes
**pour** 4 personnes **par portion** 8,6 g de lipides (dont 2 g d'acides gras saturés) ; 304 cal ; 20,4 g de glucides ; 30,4 g de protéines ; 0,4 g de fibres

# Agneau teriyaki

2 c. à s. d'huile d'olive
800 g de gigot d'agneau coupé en dés
2 c. à c. d'huile de sésame
2 gousses d'ail pilées
1 oignon brun moyen (150 g), coupé en tranches épaisses
1 long piment rouge émincé
80 ml de sauce teriyaki
60 ml de sauce chili douce
500 g de pak choy coupé en morceaux
175 g de brocoli coupé en morceaux

**1** Faites chauffer l'huile d'olive dans un wok puis, en procédant par tournée, saisissez l'agneau selon la cuisson désirée.
**2** Faites chauffer l'huile de sésame dans le wok et faites revenir l'ail, l'oignon et le piment. Ajoutez les sauces et laissez bouillonner. Saisissez le pak choy et le brocoli. Arrêtez la cuisson dès que le chou flétrit et que le brocoli est juste cuit. Transférez l'agneau dans le wok pour le réchauffer.

**à table** en 30 minutes
**pour** 4 personnes **par portion** 12,6 g de lipides (dont 3,9 g d'acides gras saturés) ; 350 cal ; 7,2 g de glucides ; 49,1 g de protéines ; 4,9 g de fibres

# Escalopes de porc sur une salade de poires et de pommes

1 c. à s. d'eau
2 c. à s. de jus de citron
2 c. à s. de sucre en poudre
1 pomme verte moyenne (150 g) coupée en dés de 1 cm
1 pomme rouge moyenne (150 g) coupée en dés de 1 cm
1 petite poire (180 g) pelée et coupée en dés de 1 cm
1 long piment vert émincé
1 c. à s. de menthe finement ciselée
8 escalopes de porc de 100 g ouvertes en deux

**1** Mélangez l'eau, le jus de citron et le sucre dans un bol moyen, en remuant pour dissoudre le sucre. Ajoutez les pommes, la poire, le piment, la menthe et remuez.
**2** Faites dorer les escalopes sur les deux faces dans une poêle à griller huilée (ou au gril, ou au barbecue), selon la cuisson désirée. Servez-les avec la salade de pommes et de poires.

**à table** en 25 minutes
**pour** 4 personnes **par portion** 3,3 g de lipides (dont 1 g d'acides gras saturés) ; 272 cal ; 13,2 g de glucides ; 45,6 g de protéines ; 2,2 g de fibres

# Kefta d'agneau avec sauces au yaourt et aux tomates épicées

1 kg de gigot d'agneau haché
1 gros oignon brun (200 g) émincé
1 gousse d'ail pilée
1 c. à s. de cumin en poudre
2 c. à c. de curcuma en poudre
2 c. à c. de quatre-épices en poudre
1 c. à s. de menthe ciselée
2 c. à s. de persil plat ciselé
1 œuf légèrement battu
6 pitas coupés en quatre
**sauce au yaourt**
200 g de yaourt maigre
1 gousse d'ail pilée
1 c. à s. de persil plat ciselé
**sauce aux tomates épicées**
60 ml de sauce tomate
60 ml de sauce chili douce

**1** Avec les mains, mélangez la viande hachée, l'oignon, l'ail, les épices, les herbes et l'œuf dans un grand saladier puis façonnez 18 boulettes.
**2** Placez les boulettes sur les brochettes et donnez-leur une forme de saucisse. Procédez par tournée pour les faire cuire dans une poêle à griller huilée (ou au gril, ou au barbecue) et selon la cuisson désirée.
**3** Pendant la cuisson, préparez les sauces au yaourt et aux tomates épicées.
**4** Servez les keftas avec les pitas et les deux sauces.
**sauce au yaourt** mélangez le yaourt, l'ail et le persil dans un bol.
**sauce aux tomates épicées** mélangez la sauce tomate et la sauce chili dans un bol.

**à table** en 30 minutes
**pour** 6 personnes **par portion** 8,2 g de lipides (dont 3,1 g d'acides gras saturés) ; 370 cal ; 28,1 g de glucides ; 43,9 g de protéines ; 2,5 g de fibres
**conseil** faites tremper les 18 brochettes en bambou avant de les utiliser pour éviter qu'elles brûlent ou cassent pendant la cuisson.

# Côtelettes de veau aux choux de Bruxelles et à la purée de céleri

2 grosses pommes de terre (600 g) coupées en gros morceaux
500 g de céleri-rave coupé en gros morceaux
250 ml de yaourt à boire ou lait fermenté réchauffé
4 côtelettes de veau de 200 g
300 g de choux de Bruxelles coupés en deux
20 g de beurre fondu
2 c. à c. de feuilles de thym frais
2 c. à s. de jus de citron

**1** Faites cuire les pommes de terre et le céleri-rave à l'eau bouillante, à la vapeur ou au micro-ondes. Arrêtez la cuisson dès qu'ils sont tendres et égouttez-les. Écrasez-les avec le yaourt à boire ou le lait fermenté dans un grand bol pour obtenir une purée lisse. Couvrez-la pour la garder au chaud.
**2** Faites cuire le veau dans une poêle à griller huilée (ou au gril, ou au barbecue), selon la cuisson désirée.
**3** Saisissez les choux dans la même poêle à griller huilée. Mélangez-les dans un bol moyen avec le beurre, le thym et le jus de citron.
Servez le veau avec la purée et les choux.

**à table** en 30 minutes
**pour** 4 personnes **par portion** 8,9 g de lipides (dont 4,4 g d'acides gras saturés) ; 366 cal ; 27,2 g de glucides ; 39,1 g de protéines ; 9,2 g de fibres

# Sauté de porc aux nouilles hokkien

600 g de nouilles hokkien
1 c. à s. de Maïzena
125 ml d'eau
60 ml de kecap manis
60 ml de sauce hoisin
2 c. à s. de vinaigre d'alcool de riz
2 c. à s. d'huile d'arachide
600 g de filet de porc émincé
1 oignon brun moyen (150 g) coupé en tranches épaisses
2 gousses d'ail pilées
5 g (1 cm) de gingembre frais râpé
150 g de pois gourmands écossés
1 poivron rouge moyen (200 g) coupé en tranches fines
1 poivron jaune moyen (200 g) coupé en tranches fines
200 g de pak choy coupé en quartiers

**1** Disposez les nouilles dans un grand récipient résistant à la chaleur et recouvrez-les d'eau bouillante. Séparez-les avec une fourchette et égouttez-les.
**2** Délayez la Maïzena dans un petit bol avec l'eau, puis ajoutez les sauces et le vinaigre.
**3** Faites chauffer la moitié de l'huile dans un wok et saisissez le porc en procédant par tournées, pour qu'il dore sur toutes les faces.
**4** Faites chauffer le reste de l'huile dans le wok et faites revenir l'oignon, l'ail et le gingembre. Ajoutez les pois, les poivrons, le pak choy et poursuivez la cuisson jusqu'à ce que les légumes soient tout juste cuits.
**5** Transférez le porc dans le wok avec les nouilles et le mélange de sauces et laissez frémir pour qu'elles épaississent légèrement.

**à table** en 30 minutes
**pour** 4 personnes **par portion** 14,3 g de lipides (dont 3 g d'acides gras saturés) ; 534 cal ; 53,3 g de glucides ; 43,5 g de protéines ; 7,6 g de fibres

# Noisettes d'agneau à la cajun sur une salade aux quatre haricots

1 c. à s. d'épices cajun
800 g de noisettes d'agneau prises dans la selle
1 petit oignon rouge (100 g) émincé
2 petites tomates olivettes (260 g) coupées en morceaux
60 g de feuilles d'épinards ciselées
600 g de haricots mélangés en boîte, rincés et égouttés
40 g de coriandre fraîche
40 g de persil plat frais
80 ml de vinaigrette classique

**1** Avec les mains, enduisez la viande d'épices et faites-la cuire dans une poêle à griller (ou au gril, ou au barbecue), selon la cuisson désirée. Couvrez-la, laissez-la reposer 5 minutes puis détaillez-la en tranches épaisses.
**2** Versez le reste des ingrédients dans un saladier et remuez pour mélanger.
**3** Servez la salade garnie de tranches d'agneau.

**à table** en 25 minutes
**pour** 4 personnes **par portion** 12,6 g de lipides (dont 3,9 g d'acides gras saturés) ; 411 cal ; 18,8 g de glucides ; 51,4 g de protéines ; 7,6 g de fibres

# Escalope de veau aux fettucini

500 g de fettucini
8 escalopes de veau de 80 g
2 gousses d'ail pilées
2 c. à s. de moutarde à l'ancienne
180 ml de vin blanc sec
250 ml de bouillon de poulet
2 c. à c. de sauge ciselée
300 g de haricots mange-tout

**1** Faites cuire les pâtes dans une grande casserole d'eau bouillante, à découvert, puis égouttez-les.
**2** Faites dorer les escalopes sur les deux faces dans une grande poêle huilée jusqu'à la cuisson désirée ; couvrez-les pour les garder au chaud.
**3** Ajoutez l'ail et la moutarde dans la même poêle et faites-les revenir 1 minute en remuant. Versez le vin et le bouillon et faites-les bouillonner. Réduisez le feu et laissez frémir à découvert 5 minutes ou jusqu'à ce que le liquide ait réduit de moitié. Incorporez la sauge.
**4** Faites cuire les haricots mange-tout à l'eau bouillante, à la vapeur ou au micro-ondes, puis égouttez-les.
**5** Coupez les escalopes en deux dans le sens des fibres. Mélangez les pâtes et les haricots, puis disposez-les sur les assiettes de service. Garnissez de veau et nappez de sauce à la sauge et à la moutarde.

**à table** en 25 minutes
**pour** 8 personnes **par portion** 2,2 g de lipides (dont 0,5 g d'acides gras saturés) ; 329 cal ; 44,8 g de glucides ; 26,5 g de protéines ; 3,1 g de fibres

# desserts

# Bananes grillées au sirop de Malibu

4 grosses bananes mûres (920 g)
80 ml de sirop d'érable
2 c. à s. de Malibu
15 g de copeaux grillés de noix de coco

**1** Coupez les bananes en deux dans la longueur. Mélangez le sirop d'érable et le Malibu puis enduisez le côté coupé des bananes d'un quart de ce mélange.
**2** Faites cuire les bananes, le côté coupé vers le bas, dans une poêle à griller huilée (ou au gril, ou au barbecue), jusqu'à ce qu'elles soient dorées.
**3** Servez-les chaudes, nappées de sirop réchauffé, et décorez-les avec des copeaux de noix de coco.

**à table** en 25 minutes
**pour** 4 personnes **par portion** 2,7 g de lipides (dont 2,2 g d'acides gras saturés) ; 285 cal ; 53,6 g de glucides ; 2,9 g de protéines ; 3,9 g de fibres
**note** Malibu est le nom de marque d'un alcool à la noix de coco et au rhum.

# Brochettes délicieuses et sauce aux fruits de la Passion

125 ml d'eau
60 ml de jus d'orange
110 g de sucre en poudre
1 c. à s. de miel
125 ml de pulpe de fruits de la Passion
2 c. à s. de liqueur à l'orange
1 petit ananas (800 g) coupé en morceaux
1 petite papaye (650 g) coupée en morceaux
2 grosses bananes (460 g) coupées en tranches épaisses
250 g de fraises

**1** Versez l'eau, le jus d'orange, le sucre et le miel dans une petite casserole. Mélangez sur le feu, sans faire bouillir, jusqu'à ce que le sucre fonde, puis portez à ébullition. Réduisez le feu et laissez frémir à découvert, sans remuer, pendant environ 8 minutes. Une fois le mélange épaissi, retirez du feu et incorporez la pulpe de fruits de la Passion et la liqueur à l'orange. Laissez refroidir 5 minutes.
**2** Enfilez les fruits sur les brochettes et badigeonnez-les de sauce aux fruits de la Passion. Faites-les dorer légèrement dans une poêle à griller huilée (ou au gril, ou au barbecue) et arrosez-les de temps à autre de sauce aux fruits de la Passion.
**3** Versez le reste de la sauce sur les brochettes puis servez-les.

**à table** en 30 minutes
**pour** 4 personnes **par portion** 0,5 g de lipides (dont 0 g d'acides gras saturés) ; 373 cal ; 74,2 g de glucides ; 4,9 g de protéines ; 12,2 g de fibres
**conseils** il vous faudra 6 fruits de la Passion pour cette recette. Faites tremper les 8 brochettes en bambou avant de les utiliser pour éviter qu'elles brûlent ou cassent pendant la cuisson. Nous avons utilisé du Cointreau, mais le triple sec, le Grand Marnier ou tout alcool à l'orange convient très bien, à moins que vous ne préfériez un dessert sans alcool.

# Pain brioché aux fruits rouges

450 g de pain brioché
250 g de fraises coupées en tranches fines
150 de framboises
150 g de myrtilles
1 c. à s. de sucre glace
**coulis de mûres**
300 g de mûres congelées
40 g de sucre glace
60 ml d'eau

**1** Préparez le coulis de mûres.
**2** Détaillez le pain brioché en 12 tranches de 1 cm d'épaisseur puis découpez-y des disques à l'aide d'un emporte-pièce.
**3** Mélangez les fruits rouges dans un saladier.
**4** Disposez en couches successives dans 4 assiettes une tranche de brioche, un tiers des fruits rouges, une autre tranche de brioche, un autre tiers des fruits rouges, enfin une dernière tranche de brioche et le reste de fruits rouges.
**5** Nappez de coulis de mûres et saupoudrez de sucre glace. Servez aussitôt.
**coulis de mûres** mélangez tous les ingrédients dans une casserole et faites-les chauffer à feu moyen jusqu'au point d'ébullition. Réduisez alors le feu et laissez frémir 3 minutes. Versez le coulis dans un récipient pour qu'il refroidisse au moins 10 minutes.

**à table** en 25 minutes
**pour** 4 personnes **par portion** 7,2 g de lipides (dont 3 g d'acides gras saturés) ; 314 cal ; 55,3 g de glucides ; 7,5 g de protéines ; 9,7 g de fibres

# Fruits macérés

80 g de pommes séchées
140 g d'abricots séchés
500 ml de jus de pomme
2 c. à s. de jus de citron

**1** Mélangez tous les ingrédients dans un saladier.
**2** Couvrez et réfrigérez 30 minutes.

**à table** en 35 minutes
**pour** 4 personnes **par portion** 0,2 g de lipides (dont 0 g d'acides gras saturés) ; 173 cal ; 41,4 g de glucides ; 1,9 g de protéines ; 5 g de fibres
**conseil** vous pouvez laisser les fruits macérer toute une nuit.

# Fondants au chocolat et coulis au café

50 g de cacao en poudre
220 g de sucre roux
125 ml d'eau bouillante
85 g de chocolat noir grossièrement râpé
2 jaunes d'œufs
30 g d'amandes en poudre
50 g de farine complète
4 blancs d'œufs
**coulis au café**
165 g de sucre roux
180 ml d'eau
1 c. à s. de café soluble

**1** Préchauffez le four à 160 °C ou à 140 °C pour un four à chaleur tournante. Graissez légèrement 12 moules à muffins.
**2** Mélangez le cacao tamisé et le sucre dans un saladier. Incorporez l'eau, puis le chocolat et mélangez jusqu'à obtention d'une pâte homogène. Ajoutez enfin les jaunes d'œufs, les amandes en poudre et la farine.
**3** Montez les blancs en neige ferme dans un saladier puis incorporez-les en deux fois au mélange chocolaté. Répartissez cette préparation dans les moules et faites cuire au four 20 minutes.
**4** Pendant la cuisson des muffins, préparez le coulis au café.
**5** Laissez reposer les muffins 5 minutes avant de les démouler. Nappez-les de coulis au café chaud et servez sans attendre.
**coulis au café** versez l'eau et le sucre dans une casserole et laissez chauffer à feu doux jusqu'à dissolution du sucre. Portez à ébullition puis réduisez le feu et laissez frémir 15 minutes sans remuer. Quand le sirop a épaissi, incorporez le café soluble, mélangez bien puis versez le coulis dans une saucière ou dans un pot à lait.

**à table** en 35 minutes
**pour** 12 fondants **par portion** 5,1 g de lipides (dont 2 g d'acides gras saturés) ; 214 cal ; 39,5 g de glucides ; 4,2 g de protéines ; 1,2 g de fibres

# Figues caramélisées et yaourt aux épices

280 g de yaourt maigre
35 g de pistaches grillées concassées
¼ de c. à c. de noix de muscade moulue
1 c. à s. de sucre en poudre
6 grosses figues fraîches
1 c. à s. de miel

**1** Mélangez le yaourt, les pistaches, la noix de muscade et le sucre dans un saladier.
**2** Coupez les figues en deux dans la longueur et badigeonnez de miel les faces coupées.
**3** Faites cuire les figues dans une grande poêle antiadhésive, face coupée vers le bas, puis retournez-les et laissez-les dorer 5 minutes.
Servez les figues accompagnées du yaourt aux épices.

**à table** en 20 minutes
**pour** 4 personnes **par portion** 6 g de lipides (dont 1,3 g d'acides gras saturés) ; 186 cal ; 26,1 g de glucides ; 6,8 g de protéines ; 3,6 g de fibres

# Salade de kiwis, litchis et citron vert

8 kiwis (680 g) coupés en quartiers
16 litchis frais (400 g)
1 poignée de feuilles de menthe fraîche
80 ml de jus de citron vert

**1** Mélangez tous les ingrédients dans un saladier.

**à table** en 10 minutes
**pour** 4 personnes **par portion** 0,5 g de lipides (dont 0 g d'acides gras saturés) ; 128 cal ; 26,8 g de glucides ; 3,2 g de protéines ; 6,1 g de fibres

# Pruneaux marinés à l'orange

340 g de pruneaux dénoyautés
250 ml de jus d'orange
250 ml d'eau
4 lanières de zeste d'orange de 5 cm chacune
2 bâtons de cannelle
8 gousses de cardamome pilées

**1** Mettez tous les ingrédients dans une petite casserole et portez à ébullition. Réduisez le feu, couvrez et laissez mijoter 10 minutes.
**2** Servez les pruneaux tièdes ou à température ambiante, avec du yaourt maigre si vous le souhaitez.

**à table** en 20 minutes
**pour** 4 personnes **par portion** 0,4 g de lipides (dont 0 g d'acides gras saturés) ; 180 cal ; 42,2 g de glucides ; 2,3 g de protéines ; 6,8 g de fibres

# Prunes et yaourt au miel et à la cardamome

280 g de yaourt maigre
2 c. à s. de miel
1 c. à c. de cardamome en gousse
8 prunes rouges (720 g)

**1** Dans un bol, mélangez le yaourt, le miel et la cardamome.
**2** Mettez les prunes sur une assiette de service et nappez de yaourt aromatisé.

**à table** en 10 minutes
**pour** 4 personnes **par portion** 4,4 g de lipides (dont 0 g d'acides gras saturés) ; 175 cal ; 26,7 g de glucides ; 4,2 g de protéines ; 3,6 g de fibres

# Toasts à la ricotta et aux pêches caramélisées

3 pêches
75 g de sucre roux
2 c. à c. d'amaretto
200 g de pannettone
200 g de ricotta

**1** Coupez chaque pêche en huit. Mettez-les dans une casserole avec le sucre et faites-les cuire 5 minutes pour faire dissoudre le sucre. Laissez frémir 10 minutes. Les pêches vont rendre un peu de jus : celui-ci doit épaissir pour former un sirop. Versez ensuite la liqueur d'amaretto hors du feu.
**2** Découpez dans le pannettone 12 disques de 7 cm de diamètre puis faites-les dorer au grille-pain.
**3** Disposez deux tranches de pannettone sur chaque assiette puis garnissez-les de ricotta et de pêches caramélisées. Servez chaud.

**à table** en 25 minutes
**pour** 6 personnes **par portion** 6,9 g de lipides (dont 4 g d'acides gras saturés) ; 228 cal ; 32,9 g de glucides ; 6,6 g de protéines ; 2 g de fibres
**note** d'origine italienne, l'amaretto est une liqueur à base d'amandes amères. Elle parfume très agréablement les desserts. À défaut de pannettone, vous pouvez utiliser de la brioche aux fruits.

# Brochettes de fruits tropicaux à la noix de coco

2 bananes moyennes (400 g)
½ ananas moyen (625 g)
2 grosses caramboles (320 g)
1 grosse mangue (600 g) coupée en morceaux
**sauce à la noix de coco**
80 ml d'alcool à la noix de coco
60 ml de lait allégé de noix de coco
1 c. à s. de sucre de palme râpé
5 g (1 cm) de gingembre frais finement râpé

**1** Préparez la sauce à la noix de coco.
**2** Coupez chaque banane non pelée en 8 morceaux, l'ananas non épluché en 8 tranches et chacune en deux, puis chaque carambole en 8 tranches.
**3** Préparez la sauce à la noix de coco.
**4** Enfilez les fruits sur les brochettes, en alternant les variétés. Faites cuire les brochettes dans une poêle à griller (ou au gril, ou au barbecue), en les nappant d'un peu de sauce, jusqu'à ce qu'elles soient légèrement dorées.
**5** Arrosez les brochettes avec le reste de la sauce et servez.
**sauce à la noix de coco** placez les ingrédients dans un bocal, fermez et secouez.

**à table** en 35 minutes
**pour** 4 personnes **par portion** 3,7 g de lipides (dont 2,7 g d'acides gras saturés) ; 316 cal ; 50,9 g de glucides ; 3,9 g de protéines ; 6,4 g de fibres
**conseils** nous employons du Malibu pour la sauce, mais tout alcool à la noix de coco fera l'affaire. Faites tremper les 12 brochettes en bambou avant de les utiliser, pour éviter qu'elles brûlent ou cassent pendant la cuisson.

# Mini charlottes aux fruits rouges

12 biscuits savoiardi ou boudoirs
250 ml de jus de canneberge
400 g de fromage blanc à la vanille allégé
150 g de framboises fraîches
150 g de myrtilles fraîches

**1** Trempez 3 biscuits dans le jus de canneberge et déposez-les debout dans un verre, contre la paroi. Répétez l'opération trois fois.
**2** Répartissez la moitié du fromage blanc dans les verres, couvrez avec la moitié des fruits puis ajoutez le reste du fromage blanc et enfin le reste des fruits. Servez sans attendre.

**à table** en 15 minutes
**pour** 4 personnes **par portion** 2,1 g de lipides (dont 0,7 g d'acides gras saturés) ; 262 cal ; 47 g de glucides ; 11,9 g de protéines ; 3,1 g de fibres

# Compote de pommes, poires et dattes

4 petites pommes (520 g)
4 petites poires (720 g)
180 ml de jus de citron
220 g de dattes séchées, dénoyautées et hachées
1 c. à s. de zeste d'orange râpé
180 ml de jus d'orange

**1** Pelez les pommes et les poires, enlevez les cœurs et coupez les fruits en dés de 2 cm. Faites-les cuire 10 minutes à couvert dans une petite casserole avec le jus de citron.
**2** Dans une autre casserole, faites cuire les dattes avec le zeste et le jus d'orange, 5 minutes à feu doux et sans couvrir. Remuez sur le feu jusqu'à complète absorption du liquide.
**3** Mélangez la compote et les dattes dans un saladier et servez tiède ou froid.

**à table** en 30 minutes
**pour** 4 personnes **par portion** 0,5 g de lipides (dont 0 g d'acides gras saturés) ; 297 cal ; 72,1 g de glucides ; 2,4 g de protéines ; 9,9 g de fibres

# Tartelettes aux pêches

1 pâte feuilletée toute prête à l'huile de colza
3 pêches moyennes (450 g)
1 c. à s. de sucre roux
1 c. à s. de confiture de prunes, chauffée
sucre glace

**1** Préchauffez le four à 220 °C ou à 200 °C pour un four à chaleur tournante. Graissez une lèchefrite.
**2** Étalez la pâte sur la lèchefrite.
**3** Versez les pêches non épluchées dans un grand récipient résistant à la chaleur et recouvrez-les d'eau bouillante. Laissez-les reposer environ 1 minute pour que les peaux se détachent facilement. Coupez les pêches en tranches fines et jetez les noyaux.
**4** Disposez les tranches de pêche sur la pâte, en laissant un espace de 2 cm sur les bords et rabattez ceux-ci. Saupoudrez la tarte de sucre.
**5** Enfournez 15 minutes et retirez du four une fois la pâte dorée. Nappez la tarte chaude de confiture. Saupoudrez de sucre glace tamisé avant de servir, selon votre goût.

**à table** en 25 minutes
**pour** 6 personnes **par portion** 6,4 g de lipides (dont 0,5 g d'acides gras saturés) ; 141 cal ; 18,2 g de glucides ; 2,1 g de protéines ; 1,3 g de fibres
**conseil** cette tarte est un excellent dessert en été, mais vous pouvez remplacer les pêches par d'autres fruits de saison, des prunes ou des nectarines par exemple.

# Papaye aux fruits de la Passion et citron vert

3 papayes (2 kg) coupées en quartiers
80 ml de pulpe de fruits de la Passion
2 c. à s. de jus de citron vert

**1** Mettez les quartiers de papaye sur une grande assiette plate.
**2** Nappez de pulpe de fruits de la Passion et de jus de citron vert.

**à table** en 20 minutes
**pour** 4 personnes **par portion** 0,4 g de lipides (dont 0 g d'acides gras saturés) ; 134 cal ; 25,1 g de glucides ; 2,1 g de protéines ; 10,7 g de fibres
**note** vous avez besoin de 1 gros fruit de la Passion pour cette recette.

# Mousse chocolat menthe

150 g de chocolat noir fondu
4 œufs, blancs et jaunes séparés
2 c. à s. de liqueur de menthe
1 c. à s. de sucre en poudre

**1** Dans un grand saladier, mélangez le chocolat, les jaunes d'œufs et la liqueur de menthe.
**2** Montez les blancs en neige ferme, ajoutez le sucre et battez de nouveau. Incorporez le mélange au chocolat en deux fois.
**3** Répartissez la mousse dans 6 coupes. Couvrez et placez au réfrigérateur 15 minutes pour que la mousse raffermisse.

**à table** en 35 minutes
**pour** 6 personnes **par portion** 11,1 g de lipides (dont 8 g d'acides gras saturés) ; 222 cal ; 20,6 g de glucides ; 5,4 g de protéines ; 1,2 g de fibres
**conseil** vous pouvez remplacer la liqueur de menthe par une autre liqueur de votre choix. Si vous préparez cette recette pour des enfants, utilisez un sirop de citron vert, de mandarine ou d'orange.

# Pavlovas aux fruits rouges et au miel

250 g de fraises équeutées et coupées en deux
150 g de myrtilles
120 g de framboises
10 petites meringues (100 g)
900 g de yaourt maigre
100 g de miel

**1** Mélangez les fruits dans un bol moyen. Brisez les meringues dans un petit saladier.
**2** Disposez le yaourt dans les bols de service, nappez de miel et parsemez de fruits et de brisures de meringues.

**à table** en 15 minutes
**pour** 6 personnes **par portion** 0,7 g de lipides (dont 0,3 g d'acides gras saturés) ; 210 cal ; 37,7 g de glucides ; 11,4 g de protéines ; 2,4 g de fibres
**conseils** pour cette recette, choisissez vos fruits rouges préférés.
Hors saison, vous pouvez vous servir de baies surgelées. Ce dessert se prépare au dernier moment ; nous avons utilisé des petites meringues ici, mais vous pouvez les remplacer par une grande.

# glossaire

**anis étoilé** ou badiane. Gousse étoilée dont les graines ont un goût piquant d'anis. Parfume les bouillons et les marinades.

**bacon** tranches fines de porc salé et fumé.

**betterave** plante à racine ronde, rouge et sucrée.

**beurre** nous utilisons du beurre salé, sauf mention contraire.

**bicarbonate de soude** remplace avantageusement la levure alsacienne en pâtisserie.

**boudoirs** biscuits de forme allongée, confectionnés d'après la recette du gâteau de Savoie.

**brocoli** chou aux inflorescences vertes.

**cacao en poudre** ou cacao amer. Après avoir fermenté, les gousses de cacao sont grillées, épluchées, réduites en poudre et débarrassées de presque toute leur matière grasse.
Le cacao amer sert dans les boissons au chocolat chaud ; pour le chocolat au lait, on ajoute du lait en poudre et du sucre.

**céleri-rave** racine tubéreuse à la peau brune et noueuse, à la chair blanche et au goût de céleri. Conservez le céleri-rave pelé dans de l'eau acidulée pour éviter qu'il ne décolore.

**châtaigne d'eau** ressemble à une châtaigne, d'où son nom. Petit tubercule brun à la chair blanche et à goût de noisette. Elles sont plus croquantes quand elles sont fraîches. Il est plus facile de les trouver en conserve et, une fois la boîte ouverte, on peut les garder un mois au réfrigérateur. Une fois rincées et égouttées, les châtaignes d'eau agrémentent salades et sautés.

**chou de Pékin** ou de Chine. De forme allongée, aux feuilles vert pâle et bouclées.

**citronnelle** grande graminée aromatique des régions tropicales, qui a le goût et l'odeur du citron. La partie inférieure blanche de la tige, émincée, entre dans la composition de nombreux mets du Sud-Est asiatique. On la trouve fraîche, séchée et surgelée dans les supermarchés et chez les marchands de légumes, ainsi que dans les épiceries asiatiques.

**coriandre** aussi connue sous les noms de *cilantro* ou persil chinois. Aromate aux feuilles vert clair, très parfumé et au goût relevé. Les graines de coriandre sont séchées et vendues entières ou moulues. Leur goût n'a rien à voir avec celui des feuilles fraîches, mais rappelle plutôt une combinaison de sauge et de cumin.

**courgette** légume dont les fleurs sont comestibles.

**couscous** petites graines à base de semoule, originaires d'Afrique du Nord.
La pâte à base de farine de semoule et d'eau est tamisée pour donner les minuscules grains, puis séchée. La cuisson, à la vapeur ou par adjonction d'eau bouillante, réhydrate les graines qui gonflent jusqu'à trois ou quatre fois leur taille d'origine.

**cumin** se présente sous forme de graines ou de poudre.

**daikon** ou radis blanc. Omniprésent sur les tables japonaises, ce long raifort blanc se distingue par sa saveur aussi délicieuse que douce.
Il se consomme pelé en salade, râpé en garniture ou encore coupé en tranches ou en cubes, sauté ou en gratin.
La chair est blanche, et la peau est blanche ou noire. Choisissez un radis ferme et lisse, que vous trouverez dans les épiceries asiatiques.

**échalote** variété d'ails aux petits bulbes allongés

recouverts d'une peau grise, rouge ou dorée.

**extrait de vanille** obtenu à partir de gousses de vanille infusées dans de l'eau ; c'est une version non alcoolisée de l'essence de vanille.

**farine**

**farine complète à levure incorporée** moulue avec le germe de blé, elle affiche une teneur en fibres plus élevée et se révèle plus nutritive que la farine blanche. C'est une farine complète à laquelle on a incorporé de la levure alsacienne et du sel. Si vous ne trouvez pas de farine à levure incorporée, mélangez et tamisez de la farine blanche ou complète avec de la levure alsacienne en respectant les proportions suivantes : 150 g de farine pour 2 cuillerées à café de levure alsacienne.

**farine de blé** la farine de froment non traitée est celle qui convient le mieux à la pâtisserie : la teneur en gluten garantit une pâte ferme et donc un résultat léger. Elle sert aussi à épaissir les sauces.

**farine de maïs** amidon de maïs, fleur de maïs ou Maïzena. À base de maïs ou de froment (la Maïzena au blé, sans gluten, allège la texture des gâteaux), ce produit sert à épaissir les sauces.

**feuilles de kaffir** feuilles du petit citronnier kaffir, formées de deux folioles jointes dessinant un « huit ». Elles sont utilisées fraîches ou séchées dans de nombreux plats du Sud-Est asiatique, comme des feuilles de laurier ou de curry, en particulier dans la cuisine thaïe. Elles sont vendues fraîches, surgelées ou séchées, mais ces dernières ayant moins de goût, doublez les proportions. Vous pouvez remplacer une feuille par une bande de zeste de lime ou de citron vert fraîchement râpé.

**fromage**

**cheddar** bon fromage au lait de vache. Le cheddar vieilli, au goût plus affirmé, est préférable. Quand nous parlons de fromage à faible teneur en matières grasses, il s'agit de cheddar à 20 % de matières grasses au maximum.

**feta** fromage grec ou bulgare, de consistance grumeleuse, au lait de chèvre ou de brebis, au goût salé. Il parvient à maturité et est conservé dans du petit-lait salé ; excellent en cubes dans une salade. Quand nous parlons de fromage à faible teneur en matières grasses, il s'agit de feta à 15 % de matières grasses au maximum.

**fromage blanc** fromage frais et blanc, à la consistance onctueuse et au goût assez neutre. La teneur en matières grasses oscille entre 0 et 40 %, selon le lait employé (entier, écrémé ou à 0 % de matières grasses).

**fromage frais à tartiner** la teneur en matières grasses de ce fromage doux au lait de vache se situe entre 6 et 40 %.

**gingembre**

**frais** ou racine de gingembre. Racine épaisse et tordue d'une plante tropicale.

**mariné** de couleur rose ou rouge, il s'achète tout prêt dans les épiceries asiatiques sous la forme de copeaux fins comme du papier. Le gingembre vert est mariné dans un mélange de vinaigre, de sucre et de colorant naturel. Sert surtout dans la cuisine japonaise.

**halloumi** fromage gréco-chypriote, à la texture semi-ferme et spongieuse, au goût très salé mais doux. Il parvient à maturité et est conservé dans du petit-lait salé ; excellent grillé ou frit, il garde bien sa forme à la cuisson. Il faut le manger chaud, car il devient dur et caoutchouteux en refroidissant.

**mozzarella** fromage frais à pâte filée, originaire de la région de Naples. La version traditionnelle est à base de lait de bufflonne, mais elle est maintenant presque toujours au lait de vache. C'est le grand favori des fromages à pizza, car il fond à faible chaleur et devient très élastique (il est plus utilisé pour sa texture que pour son goût). Quand nous parlons de fromage à faible teneur en matières grasses, il s'agit de mozzarella à 17,5 % au plus de matières grasses.

**parmesan** ou *parmigiano* en italien. Ce fromage au lait de vache à pâte très dure provient de la région de Parme, en Italie. Après un mois dans la saumure, il vieillit jusqu'à deux ans, de préférence dans une atmosphère humide.

**pecorino** nom générique de plusieurs fromages italiens à pâte dure, au lait de brebis et de couleur jaune pâle. Fabriqués traditionnellement en hiver et au printemps, quand les moutons paissent dans les prés, ils vieillissent entre 8 et 12 mois. Le nom indique la région d'origine, *romano* pour Rome, *sardo* pour la Sardaigne, *siciliano* pour la Sicile et *toscano* pour la Toscane. Si vous n'en trouvez pas, prenez du parmesan.

**ricotta** fromage blanc au lait de vache, crémeux et à faible teneur en matières grasses (environ 8,5 %), à la texture un peu granuleuse. Son nom, qui signifie « cuite deux fois », fait allusion au procédé de fabrication à partir d'un petit-lait qui est lui-même issu de la production d'autres fromages.

**gai lan** ou brocoli chinois. Légume vert davantage apprécié pour ses tiges que pour ses feuilles coriaces. Cuit à la vapeur ou frit, il accompagne les soupes et les nouilles.

**galettes de pâte wonton**, gow gee ou pâte à raviolis chinois à base de farine, d'œufs et d'eau. On les trouve dans les vitrines réfrigérées ou les congélateurs des épiceries asiatiques et de nombreux supermarchés. Elles sont plus ou moins épaisses et de formes variées. Les galettes fines conviennent mieux aux soupes, les plus épaisses résistant mieux à la friture. Selon la recette, vous les choisirez rondes ou carrées, petites ou grandes.

**galettes ou crêpes de riz**, à base de farine de riz et d'eau, aplaties et rondes. Très friables, elles se cassent facilement. On les plonge dans l'eau pour les assouplir et les garnir.

**garam masala** appellation signifiant « épices mélangées » dans la région d'origine, le nord de l'Inde. Épice composée dans des proportions variables de cardamome, de cannelle, de clous de girofle, de coriandre, de fenouil et de cumin, grillés et moulus ensemble. On peut ajouter du poivre noir et du piment pour relever.

**germes de haricots** jeunes pousses tendres de différents haricots que l'on fait germer pour les consommer sous cette forme.

**gousse de vanille** longue gousse séchée d'une orchidée tropicale qui pousse en Amérique centrale et latine, ainsi qu'à Tahiti. Les minuscules graines noires à l'intérieur parfument les gâteaux et les desserts. Pour fabriquer vous-même le sucre vanillé si souvent employé dans les recettes, placez une gousse entière dans un bocal rempli de sucre. Une gousse peut servir trois ou quatre fois avant de perdre son arôme.

**harissa** sauce épicée, originaire d'Afrique du

Nord, composée de piments rouges, d'ail, d'huile d'olive et de graines de carvi. Utilisée pour enduire la viande ou en condiment. Vous pouvez vous en procurer dans à peu près tous les supermarchés.

**huile**

**d'arachide** obtenue par la pression de cacahuètes. Huile la plus courante dans la cuisine asiatique, à cause de son point de fumée élevé (capacité à tolérer une forte chaleur sans brûler).

**d'olive** à base d'olives mûres. L'huile vierge extra et l'huile vierge proviennent des première et deuxième pressions et sont considérées les meilleures.

**de sésame** à base de graines blanches de sésame, rôties et écrasées. Sert plus à parfumer qu'à cuire.

**vaporisateur d'huile** nous utilisons un spray avec une huile de colza sans cholestérol.

**jambon de Parme** jambon cru italien, originaire de la région de Parme, qui est salé, puis affiné.

**kecap manis** sauce au soja épaisse et foncée, employée dans presque toutes les cuisines du Sud-Est asiatique. Selon le fabricant, son goût sucré provient de l'adjonction de mélasse ou de sucre de palme lors du brassage. Seule ou mélangée, elle sert de condiment, de sauce ou de marinade.

**kumara** nom polynésien d'une patate douce, souvent confondue avec l'igname.

**mesclun** mélange de jeunes feuilles de laitue et de différentes salades.

**mirin** type de vin de couleur sable, à base de riz gluant et d'alcool. Il sert uniquement à la cuisson et ne doit pas être confondu avec le saké. Le manjo mirin, une version sucrée à base d'eau, de riz, de sirop de maïs et d'alcool, entre dans la composition de différentes sauces japonaises.

**nuoc-mâm** sauce de poisson appelée ainsi au Vietnam mais *naam pla* en Thaïlande, les deux étant à peu près identiques. Sauce à l'odeur âcre et au goût fort, fabriquée à partir de poudre de poisson (le plus souvent des anchois), salée et fermentée. Elle est plus ou moins forte et vous pouvez donc choisir la qualité correspondant à vos goûts.

**oignon**

**rouge** ou d'Espagne. Oignon légèrement sucré, d'un beau rouge violacé.

**vert ou ciboule** Oignon cueilli avant le développement du bulbe, qui possède de longues tiges vertes comestibles.

**pak choy** chou chinois au léger goût de moutarde. Utilisez les tiges et les feuilles. Le mini pak choy est beaucoup plus petit et plus tendre. Son goût légèrement âcre et très agréable lui vaut d'être l'un des légumes verts asiatiques les plus employés.

**pancetta** « petite panse » de porc salé et épicé, spécialité italienne qui est roulée en saucisse et séchée pendant plusieurs semaines.

**pâtes**

**hokkien** pâtes fraîches au blé, surtout employées dans les sautés. Elles ressemblent à des spaghettis épais et brunâtres et n'ont pas besoin de pré-cuisson avant l'emploi.

**nouilles frites** nouilles aux œufs, croustillantes, qui ont été frites avant d'être emballées et sont vendues dans les supermarchés.

**pâtes de riz** à base de farine de riz et d'eau,

plates et larges ou fines (vermicelles). Il faut les faire tremper dans de l'eau bouillante pour les ramollir.

**pâtes fraîches de riz**, *pho* ou *ho fun*, selon le pays. Elles s'achètent en bandes de largeur variée ou en feuilles de 500 g, que l'on coupe à sa guise. Molles et d'un blanc pur, elles n'ont pas besoin de pré-cuisson avant l'emploi.

**soba** pâtes d'origine japonaise, de couleur beige, à base de sarrasin et de proportions variables de farine de blé. On les trouve sèches ou fraîches et avec différents parfums (par exemple au thé vert). Elles sont consommées dans des soupes, des sautés ou bien froides et sans accompagnement.

**udon** ces larges pâtes blanches au blé, que l'on achète fraîches ou sèches, sont semblables à celles qui garnissent les soupes de poulet aux nouilles.

**vermicelles au riz** appelés aussi *sen mee, py mei fun* ou *bee hoon*. Plus longs que les vermicelles à la fécule de haricots mungo et à base de farine de riz. Avant de les utiliser, faites-les ramollir dans de l'eau chaude ; portez rapidement à ébullition, puis rincez à l'eau chaude.

**poivron** à utiliser cru ou cuit.

**potimarron** potiron aplati, jaune à vert clair et aux bords festonnés. Récolté jeune, il a une chair blanche ferme et un goût prononcé.

**quatre-épices** ou poivre de la Jamaïque. Arbuste dont les feuilles très aromatiques rappellent les saveurs de quatre épices : la cannelle, le girofle, la muscade et le poivre. On peut réaliser le mélange soi-même avec 1 cuillerée à soupe de grains de poivre noir entiers ou concassés, 2 cuillerées à café de clous de girofle, 2 cuillerées à café de noix de muscade râpée et 1 cuillerée à café de gingembre moulu.

**raisins de Corinthe** tout petits raisins secs, qui portent le nom de leur région d'origine en Grèce.

**roquette** ou *rucola* en italien ; salade au goût poivré. Les feuilles jeunes sont plus petites et moins relevées.

**safran** stigmate d'une plante appartenant à la famille des crocus, que l'on achète moulu ou en filaments. Après infusion, colore les aliments en jaune orangé. La qualité est très variable, mais le safran de qualité supérieure est l'épice la plus chère au monde.

**saké** vin japonais par excellence, à base de riz fermenté. Sert pour les marinades, la cuisson ou les sauces à tremper. On peut le remplacer par du xérès sec, du vermouth ou du cognac.

**sambal oelek** pâte indonésienne, fabriquée avec des piments moulus, du sel et du vinaigre.

**sauce à l'huître** condiment d'origine asiatique, cette sauce épaisse et très odorante est à base d'huîtres et de leur eau, qui sont cuites avec du sel et de la sauce au soja, puis épaissies avec des fécules.

**sauce char siu** ou sauce chinoise pour barbecue. Cette pâte rouge brun a un goût sucré et épicé. Composé de soja fermenté, de miel et de diverses épices, le char siu peut se diluer et s'utilise en marinade ou directement sur la viande en train de griller.

**sauce de soja** ou *sieu*, à base de soja fermenté. Les différentes variétés sont disponibles dans les supermarchés asiatiques. Nous utilisons une sauce de soja japonaise, sauf mention contraire.

**japonaise** sauce de soja polyvalente et à faible teneur en sodium, fabriquée avec plus de froment que la sauce chinoise ; elle fermente et vieillit en barrique.

**légère** assez liquide et plus claire que les autres, elle est la plus salée ; elle sert à conserver la couleur naturelle des ingrédients. Il ne faut pas la confondre avec les sauces de soja à faible teneur en sodium.

**sauce hoisin** sauce barbecue chinoise, à base de sojas fermentés et salés, d'oignons et d'ail. Utilisée en marinade ou pour enduire les viandes, elle relève les plats sautés au wok, les barbecues et les rôtis. Disponible dans les supermarchés et épiceries asiatiques.

**sauce teriyaki** faite maison ou achetée en bouteille, cette sauce japonaise est élaborée avec de la sauce de soja, du mirin, du sucre, du gingembre et d'autres épices. Elle confère une glaçure distincte à la viande et au poulet qui en ont été enduits avant d'être grillés.

**sauce Worcestershire** sauce épicée, liquide, de couleur brun foncé que les colons britanniques inventèrent en Inde. Elle sert à assaisonner les viandes, les sauces et les cocktails ou s'emploie comme condiment.

**sucre**

**cristal** ou sucre cristallisé.

**de palme** sucre élaboré à partir de la sève du palmier à sucre. De couleur marron à noire, il est vendu en pains très durs. On peut le remplacer par du sucre roux.

**en poudre** ou sucre semoule. Sucre très fin, dont les cristaux se dissolvent facilement, d'où son intérêt pour les gâteaux, les meringues et autres desserts.

**glace** sucre extrêmement fin, pour le décor des pâtisseries ou le glaçage.

**roux** sucre aux cristaux fins qui a conservé la couleur et l'arôme caractéristique de la mélasse.

**sumac** épice violacée, tirée des baies d'un arbuste qui pousse à l'état sauvage sur tout le pourtour méditerranéen. Son goût acidulé relève les sauces et les vinaigrettes et convient aux viandes grillées.

**tahini** pâte à base de graines de sésame. Utilisée surtout pour le houmous et le baba ghanoush.

**tamari** condiment épais à base de soja, au goût très doux, qui sert dans les sauces et pour enduire les viandes. Il est vendu dans la plupart des supermarchés asiatiques.

**tamarin** le tamarinier produit des bouquets de gousses brunes et velues, remplies de graines et d'une pulpe visqueuse, que l'on sèche et presse pour former des blocs vendus dans les magasins asiatiques. Son goût aigre-doux et légèrement acidulé enrichit les marinades, pâtes, sauces et vinaigrettes.

**tatsoi** chou chinois plat, de la même famille que le pak choy et d'un goût similaire.

**tofu velouté** tofu de qualité supérieure. Le lait de soja est passé dans un filtre en soie.

**tomates séchées au soleil** le séchage au soleil déshydrate le fruit et concentre la saveur. Nous utilisons des tomates conservées dans l'huile, sauf mention contraire.

**wasabi** raifort asiatique servant à préparer la sauce verte et âcre qui est servie traditionnellement avec les plats de poisson cru au Japon. Vendu en poudre ou en pâte.

**yaki-nori** algues séchées utilisées au Japon pour parfumer un plat, pour garnir ou accompagner les sushis, qui sont vendues en feuilles, simples ou grillées.

# index

Publié pour la première fois en Australie en 2007 sous le titre *Fast Healthy.*

Traduction et adaptation : Virginie Bermond-Gettle.
Suivi éditorial : Natacha Kotchetkova.
Mise en pages : Les PAOistes.
Relecture - correction : Véronique Dussidour.


Pour l'éditeur, le principe est d'utiliser des papiers composés de fibres naturelles, renouvelables, recyclables et fabriquées à partir de bois issus de forêts qui adoptent un système d'aménagement durable. En outre, l'éditeur attend de ses fournisseurs de papier qu'ils s'inscrivent dans une démarche de certification environnementale reconnue.

Imprimé en Espagne par Graficas Estella
Dépôt légal : mars 2008
ISBN : 978-2-501-05787-5
40 4622 3 / 01